Comida para fiestas infantiles

Aprende a cocinar fácilmente

Grupo Editorial Tomo, S.A. de C.V.
Nicolás San Juan 1043,
03100, México, D.F.

© *Kids' Party food*

Murdoch Books UK Limited
Erico House, 6th Floor North, 93-99 Upper Richmond Road, Putney, London SW15 2TG
www.murdochbooks.co.uk

© 2013, Grupo Editorial Tomo, S.A. de C.V.
Nicolás San Juan 1043, Col. Del Valle, 03100, México, D.F.
Tels. 5575-6615, 5575-8701 y 5575-0186 Fax. 5575-6695
www.grupotomo.com.mx
ISBN-13: 978-607-415-596-9
Miembro de la Cámara Nacional
de la Industria Editorial No 2961

Traducción: Lorena Hidalgo Zebadúa
Diseño de portada: Karla Silva
Formación tipográfica: Armando Hernández
Supervisor de producción: Leonardo Figueroa

Este libro se publicó conforme al contrato establecido entre
Murdoch Books UK Limetd y *Grupo Editorial Tomo, S.A. de C.V.*

Impreso en México - *Printed in Mexico*

Contenido

Cómo planear una fiesta

pág. 4-7

Consejos sobre cómo organizar la fiesta con antelación y qué hacer cuando llegue la fecha.

Temas para fiestas

pág. 8-17

Veinte temas diferentes que incluyen sugerencias de decoración, invitaciones, pasteles y juegos.

Recetas para pasteles

pág. 18-19

Recetas de los pasteles básicos y glaseados esenciales para todos los pasteles.

Pasteles para fiestas

pág. 20-41

Instrucciones para crear y decorar pasteles de números y pasteles relacionados con diferentes temas.

Comida para la fiesta

pág.42-65

Comida que les encantará, desde botanas agridulces hasta cenas.

Bebidas de fiesta

pág. 66-69

Bebidas refrescantes para niños modernos

Recuerdos

pág. 70-79

Diferentes opciones para llenar y decorar las bolsas de recuerdos.

Juegos para tu fiesta

pág. 80-99

Juegos para niños de todos los gustos, habilidades y edades.

Plantillas

pág. 100-109

Formas de pasteles a escala, listos para que los copies.

Información útil

pág. 110

Índice

pág. 111

Cómo planear una fiesta

Las fiestas infantiles pueden ser pequeñas, informales o grandes producciones —tú eres el organizador y tú decides hasta dónde quieres llegar—. Usar un tema para la fiesta puede facilitarte el trabajo, pues te orienta y hace que permanezca mucho tiempo en la memoria.

La planeación

Unas semanas antes de la fiesta siéntate con tu hijo y pónganse de acuerdo en los aspectos esenciales.

◆ Elige el tema de la fiesta (las páginas 8 a 17 pueden ayudarte), si es el caso. Decide si quieres que los invitados vayan disfrazados, si tú les darás disfraces o complementos en la fiesta (como sombreros piratas o pintura para payaso, etcétera).

◆ Decide a cuántos niños vas a invitar (algunas familias siguen esta regla —cuatro niños para un cuarto cumpleaños; cinco para un quinto cumpleaños, etcétera). Es posible que tu hijo quiera invitar a toda la escuela, pero tú tienes la última palabra.

◆ Decide el lugar donde se llevará a cabo la fiesta —en tu casa, en un parque, en un lugar adecuado para el tema, como el zoológico o la playa—. Si la fiesta se hace en exteriores procura tener un plan alternativo en caso de que llueva.

◆ Decide la hora y la duración de la fiesta. Los papás necesitan saber a qué hora recoger a sus hijos y tú necesitas saber cuándo podrás descansar. No seas muy pretencioso —tres horas es muy sensato.

◆ Elige la comida y la bebida que vas a servir —una mesa con botanas o una mesa con lugares para que se sienten a comer—. ¿Algunos alimentos son más adecuados para el tema que elegiste? ¿Cómo será el pastel? Todos los planes que te presentamos incluyen sugerencias de comida y bebida.

◆ Haz una lista de los juegos que organizarás en la fiesta. Los juegos preparados son una buena forma de mantener la armonía del grupo y canalizar la energía de los niños. Consulta los juegos de las páginas 80 a 99 y las páginas 8 a 17 para los juegos sugeridos según los temas.

◆ Establece el formato de la fiesta. En qué orden se hará la entrega de regalos, la comida y la bebida; el pastel y los juegos. Incluye el tiempo para los juegos libres —algunas veces lo más divertido es lo que organizan ellos mismos.

Todo lo anterior y todas tus decisiones sobre decoración, invitaciones y disfraces dependen de dos cosas: de tu nivel de energía y del presupuesto. Recuerda que, muchas veces, las fiestas más sencillas son las mejores porque los anfitriones están relajados y eso se traduce en un ambiente feliz. Por ejemplo, si tu presupuesto es limitado, no temas romper con las tradiciones y organizar juegos sin competencias, como "Te copio" o "Burbujas", para los que no hace falta entregar premios.

Toda esta planeación se resume en dos listas: "Qué comprar" y "Qué hacer". Divide la lista de las compras en perecederos y otras cosas que puedas comprar con antelación. Haz lo mismo si vas a cocinar. Haz un calendario de todas las cosas que tú y tus ayudantes tienen que hacer antes de la fiesta, ponlo en un lugar a la vista y procura seguirlo para evitar imprevistos de última hora.

Involucra a tus hijos en la organización —incluso ir al súper les parecerá divertido si van a comprar cosas para la fiesta—. Hagan las invitaciones juntos, que ellos las ilustren y tú las escribes. Los niños más grandes pueden organizar sus propios disfraces y los niños más pequeños necesitarán que los ayudes.

Invertir un poco de tiempo en la organización de la fiesta tendrá sus recompensas

Organiza con tiempo la ayuda externa que puedes tener. Si conoces bien a los papás de algunos invitados pídeles que te lleven algo de comida o que te ayuden con los preparativos de ese día. Si tienes (o conoces) niños más grandes que quieran ganar un poco de dinero pídeles que ellos organicen algunos juegos, que se encarguen de la música o que limpien después de la fiesta. Una regla de oro es, tú haz las cosas para las que seas bueno y las que puedas manejar y pide ayuda para el resto.

La fecha

Si el cumpleaños de tu hijo cae en las semanas más ajetreadas del año, como Navidad, considera celebrar la fiesta en días más tranquilos, antes o después del ajetreo y haz una pequeña celebración familiar el día del cumpleaños.

También piensa bien en el día de la semana y la hora en que será la fiesta. Si tu presupuesto es limitado puedes organizar una reunión en la mañana o por la tarde y así no tienes que dar una comida completa. Si planeas hacer una fiesta en grande o muy complicada date un día entero de margen para los preparativos y organízala para el sábado en la tarde. Las fiestas para niños pequeños son mejores por la mañana o a la hora del almuerzo para que no estén muy cansados antes de comenzar. Para los niños que van a la escuela, una fiesta de viernes por la tarde, donde tú pases por ellos a la escuela y sus padres los recojan unas horas más tarde es muy conveniente, pues te deja libre el fin de semana y les permite a los padres de los invitados terminar tranquilamente la semana laboral.

Las invitaciones

Manda o entrega las invitaciones aproximadamente dos semanas antes de la fecha e incluye la siguiente información:

- ✦ De quién es la fiesta y cuál es el motivo (de manera que los invitados sepan si deben llevar regalo).
- ✦ La fecha y la hora de la fiesta, incluyendo la hora en que termina.
- ✦ La dirección donde será la fiesta, incluye un mapa o indicaciones especiales si es complicado llegar o estacionarse cerca. También es buena idea incluir tu número de teléfono.
- ✦ Cualquier información especial: si quieres que los padres asistan también o si los niños debe ir disfrazados; si cambiará el lugar de reunión en caso de que llueva y dónde sería.

Las páginas 8 a 17 contienen ideas para hacer las invitaciones según el tema. El festejado disfrutará ayudarte. Otra opción es comprar las invitaciones en supermercados o tiendas de fiestas.

La decoración

Algunas veces, lo más divertido de la organización es planear cómo darle al lugar una atmósfera adecuada. Es fácil hacerlo con muchos globos y serpentinas de colores o un letrero de ¡FELIZ CUMPLEAÑOS! colgado en la pared.

Si la fiesta tiene un tema decora con elementos simples, de colores que correspondan con el tema —negro para una fiesta de Halloween o azul y verde para una fiesta de agua.

Todas las ideas que encontrarás en este libro tienen sugerencias de decoraciones de bajo costo, relacionadas con el tema, que se adaptan a cada lugar, a tu experiencia y a tu presupuesto.

Si el espacio es limitado puedes guardar los muebles en otro lugar o moverlos y así dejar espacio para bailar o para los juegos.

Y en cuanto a los globos: ¡pon muchos! Muchos globos indican en dónde está llevándose a cabo la fiesta y contribuyen a la atmósfera de manera simple y barata. A los niños les gusta jugar y reventar globos (y procura tener suficientes para reponer los que revienten). Los niños muy pequeños pueden asustarse con los tronidos de los globos y quizá necesiten que los calmes. Recoge de inmediato los pedazos de globos ponchados porque pueden ahogarse con ellos. Si los globos te ponen nervioso colócalos en alto y solo regálalos a los niños cuando se vayan.

Temas y disfraces

No seas demasiado pretencioso cuando elijas el tema, en especial si quieres que los invitados lleguen disfrazados. Recuerda que no todo el mundo sabe coser disfraces o no pueden pagarlos. En las invitaciones puedes incluir algunas ideas para los disfraces (que todos los piratas traigan pantalones de mezclilla, camiseta y un parche; o que todos los robots traigan cabezas de cajas de cartón). Ten en cuenta a los niños que se presenten con ropa normal y no se sientan parte del grupo. Ten preparado un "disfraz" sencillo que puedas ponerles en nada de tiempo. El papel crepé puede usarse para casi todos los temas, no hace falta coserlo y el fieltro de colores puede cortarse en cualquier forma y pegarse con cinta adhesiva sobre la ropa.

Como alternativa a los disfraces completos, puedes darle un accesorio a cada invitado, como un sombrero o una máscara relacionados al tema de la fiesta, una capa de vampiro hecha con papel crepé negro, una varita mágica o una banda *hippie* para la cabeza hecha de tela multicolor. Así, los invitados se ponen su ropa favorita y se disfrazan según el tema conforme llegan.

Comida y bebida

El grado de complicación de la comida depende de la duración y de la hora de la fiesta —si será a mediodía y sólo vas a dar pastel y algo de botana o si servirás una comida completa.

Cuando planees la comida y la bebida pregúntale a los papás de los invitados si sus hijos son alérgicos a algún alimento como el gluten o los lácteos, o si son vegetarianos. Además de ser cuestión de educación, también es una manera de evitarte problemas ese día. Algunos niños se ponen agresivos o hiperactivos si comen demasiados dulces, y como todos los niños son propensos a comer muchas golosinas, dales sólo una cantidad razonable. La mayoría de los niños espera que las golosinas sean parte de la comida de las fiestas, pero no hay necesidad de darles demasiada azúcar. Hay opciones saludables como pasitas o frutos secos (en especial plátanos deshidratados) y nueces sin sal (para los niños mayores de cinco años) y así puedes dejar las golosinas para el final de la fiesta —junto con el pastel o para que se las lleven a su casa.

Si la fiesta no es en una casa (por ejemplo, un picnic de osos en el parque) debes dar comida que sea fácil de transportar. Piensa, por ejemplo, cómo podrás llevar un pastel grande y congelado sin que se estropee y cómo mantendrás fría la comida.

Pon la comida lo más lejos que puedas del área de juegos. Si destinas un tiempo sólo para comer, en lugar de que tengan la comida a la mano mientras juegan, podrás

dedicarte a otros aspectos de la fiesta y no tendrás que ir y venir para reponer platos y bebidas. Prepárate para que tiren y rompan algo, limpia rápidamente y de buen humor (no olvides que los niños son sólo humanos). Sirve la comida y la bebida en el exterior o en donde no haya alfombra, como un garaje o sótano, si los accidentes son un conflicto para ti.

Siempre ten más bebida de la que crees que vas a necesitar. Recuerda que los refrescos tienen altos niveles de azúcar que provocan sed —para calmar la sed es mejor darles agua de frutas hecha en casa, cordiales, leche y agua sola, y tampoco harán que se alteren.

Los juegos

Escoge juegos adecuados para la edad y las habilidades de los invitados —por ejemplo, si sabes que algunos niños tienen problemas para leer o escribir evita los juegos en los que tengan que hacerlo—. Hay niños, en especial los pequeños, a quienes no les gusta competir o se sienten intimidados con los juegos, así que organiza uno o dos juegos que no requieran competencias entre ellos. Los juegos en equipos son buenos para los niños más grandes, para romper el hielo entre niños que no se conocen, pero asegúrate de que todos los niños sean incluidos sin importar sus habilidades o su popularidad. (Puede ser mejor que tú elijas a los miembros de los equipos y que no lo hagan ellos). Si el número de niños es impar procura que todos se queden sin participar una vez.

Prepara una lista variada de juegos para mantener el interés de los niños. Sé flexible: si hay algún juego que se te salga de control organiza uno más tranquilo; si algún juego resulta muy popular, entonces deja que continúe, aunque eso signifique eliminar alguno de los que tenías planeados.

No dejes que la sesión de juegos se alargue demasiado. Tres o cuatro juegos, con dos o tres de reserva, son suficientes. El interés de los niños en un juego se mantiene durante diez minutos aproximadamente.

Los premios y los recuerdos

Decide con antelación si todos los niños obtendrán un premio en los juegos o si los premiarás por sus méritos —algunos niños pequeños sienten que esto último no es justo y se molestan si no se ganan un premio—. Siempre hay un niño al que se le dificulta ganar algo; si pasa esto organiza un juego en el que controles quién gana, como los juegos musicales. Los premios no necesariamente tienen que ser caros; son más divertidos si están relacionados con el tema de la fiesta.

Prepara los recuerdos con antelación si eliges productos que no se echen a perder. No les des los recuerdos hasta que no estén yéndose de la fiesta —pon una nota en la puerta para que no lo olvides—. Si sobra pastel puedes darle una rebanada a cada invitado cuando se vaya.

Por último, recuerda que ni la mejor planeación del mundo puede contemplar todas las contingencias, así que sé flexible al respecto. Si tú te mantienes contento y relajado, tus invitados lo notarán. Si estás preparado para divertirte, ¡todo el mundo se divertirá!

Nota de seguridad

Antes de servir la comida para los niños menores de cinco años quítale los palillos; tampoco les des nueces o dulces pequeños. Vigila de cerca los juegos y quita los pedazos de globos reventados.

Temas para fiestas

Hadas

✦ **Decoración:** Cualquier cosa luminosa o que parezca "mágica", desde estrellas de cartón brillante pegadas en las paredes de la habitación, hasta el rincón de las hadas con las paredes cubiertas de tela de material resplandeciente y cojines mágicos (almohadas o cojines forrados de tela blanca con puntos rojos) para que se sienten los niños. Forra la mesa con gasa o muselina, ata las esquinas con cintas y pega estrellas de pegamento brillante aquí y allá.

✦ **Pastel:** Estrellita.

✦ **Comida:** Pan sicodélico de hadas, Pastelitos de hadas, Varitas de hada, Tostadas de pan con pollo, Tartas de queso con tocino, Sapos.

✦ **Bebida:** Sueño de durazno.

✦ **Juegos:** A formar palabras, Los pájaros vuelan, Carrera de collares, A mo a to.

✦ **Premios:** Trucos sencillos de magia, cuadernos pequeños pintados de dorado y decorados con brillantina y joyas de plástico.

Te invito a mi fiesta de hadas
Para: . . . .
A las: . . . .
En: . . . .
RSVP: . . . . . .

Espacio exterior

✦ **Decoración:** Estrellas y planetas fluorescentes pegados en las paredes y el techo, si no quieres gastar demasiado haz una "ventana" de cartulina negra que se vea desde la "nave" y cúbrela. Dale un aspecto de alta tecnología con paneles de control de cartulina con interruptores pegados con cinta a las mesas auxiliares o junto a cada lugar para que sean videoteléfonos.

✦ **Pastel:** Ovni.

✦ **Comida:** Cráteres lunares, Galletas marcianas, Discos galácticos, Meteoritos, Galle-rocas, Ovnis, Meteoro-conos de helado.

✦ **Bebida:** Cráter flotante.

✦ **Juegos:** Guerra de globos, En busca del anillo perdido, Planetas musicales (también conocido como Islas musicales), Cuando fui a Marte..., Naves espaciales colgantes (también conocido como Donas colgantes).

✦ **Premios:** Láminas de calcomanías fluorescentes, tarjetas de colección de *Star Trek*.

Te invito a mi fiesta espacial.
Favor de confirmar
Fecha
Hora
Dirección

Te presentamos veinte temas para que elijas; abarcan casi todas las edades y los gustos

Dinosaurios

- ◆ **Decoración:** Extiende sobre el piso una tela de color café "tierra" y fíjala con piedras para crear un pantano prehistórico. Cuelga serpentinas verdes y cafés del techo y las paredes, algunas rectas y otras en espiral. Dale vida con algunas flores primitivas cortadas de cartulinas de colores.
- ◆ **Pastel:** Dino el dinosaurio.
- ◆ **Comida:** Rocky road, Garrotes de cavernícola, Lodo de pantano, Hamburguesitas, Huevos de dinosaurio, Albóndigas.
- ◆ **Bebida:** Cráter flotante.
- ◆ **Juegos:** Ponle la cola al dinosaurio, Colorea al dinosaurio, En la orilla, en el pantano (también conocido como En la orilla, en el río), La piedra volcánica caliente (conocido también como La papa caliente), Relevos de piedras volcánicas (también conocido como Relevos de papas), A formar palabras.
- ◆ **Premios:** Dinosaurios de plástico, estampas de dinosaurios, libros de juegos y actividades de dinosaurios.

Piratas

- ◆ **Decoración:** En interior, un barco pirata con grandes claraboyas en las paredes por las que se ven grandes olas y el cielo. La mesa debe estar sin cubrir, la comida servida sobre tablas de madera para picar y platos sin adornos. En exterior, haz una isla del tesoro con muñecos rellenos como un chango o un perico de colores trepados a un árbol.
- ◆ **Pastel:** Cofre del tesoro.
- ◆ **Comida:** Albóndigas, Rollos de salchicha, Botes de queso con elote, Galletas de piratas.
- ◆ **Bebida:** Poción flotante.
- ◆ **Juegos:** La búsqueda del tesoro, Carrera de espaldas. Juegos con música para cantar canciones de mar, Islas musicales, El Capitán dice (conocido también como Simón dice), ¡Viene el Capitán!
- ◆ **Premios:** Bolsas del tesoro con monedas de plástico, parches para los ojos, sombreros piratas, espadas de cartón, libros sobre piratas como Peter Pan o Barcos pirata.

Playa

◆ **Decoración:** En toda el área de juegos acomoda sombrillas de playa, tumbonas, sillas de director y toallas. Haz palmeras de papel crepé y cuélgalas junto con globos verdes, amarillos y azules. Esparce muñecos de peluche como changos, víboras y pericos de colores. También puedes hacer la fiesta en la playa. Escoge un área con sombra, lleva mucho bloqueador solar y vigila todos los juegos que se lleven a cabo en el agua.

◆ **Pastel:** Solecito.

◆ **Comida:** Tostadas de camarón, Trocitos de plátano congelado, Parfait soleado, Botes hot-dog, Gelatinas playeras, Ruedas de jamón y piña.

◆ **Bebida:** Crema de piña.

◆ **Juegos:** La papa caliente, El cartero, En la arena, en el mar (también se conoce como En la orilla, en el río), ¡Pásale!, Guerra de jalones, Carrera de tortugas, Sardinas.

◆ **Premios:** Faldas hawaianas, sombreros para el sol, tarros de crema de colores, lentes de sol.

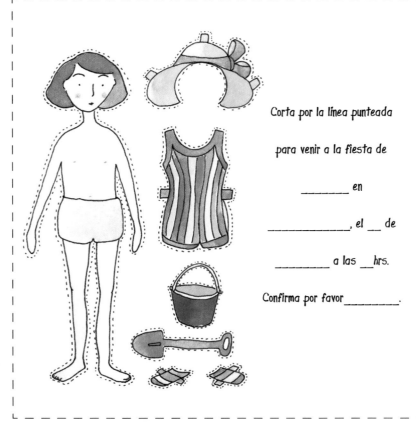

Corta por la línea punteada

para venir a la fiesta de

_____ en

_____, el __ de

_____ a las __ hrs.

Confirma por favor_____.

Nieve

◆ **Decoración:** Cubre los muebles con sábanas blancas, decora las paredes con serpentinas y globos blancos, cuelga del techo servilletas de papel (para simular copos de nieve), rompe papel blanco o usa confeti blanco para simular nieve, para simular una fogata pega con cinta papel celofán rojo arrugado y ponlo en una esquina o en una chimenea que no se use.

◆ **Pastel:** Pedro el pingüino.

◆ **Comida:** Brownies congelados, Albóndigas, Helada de coco, Pizza, Muñeco de nieve.

◆ **Bebida:** Flotante de chocolate.

◆ **Juegos:** Sombrereros, Sombreros musicales, ¡A pelar manzanas!, Conejitos congelados (conocido como Conejitos saltarines), Búsqueda del tesoro, El juego del chocolate.

◆ **Actividad especial:** Si vives en un lugar donde cae nieve y comienza a nevar durante la fiesta, organiza juegos en la nieve como la actividad principal. Organiza el concurso de muñecos de nieve, carreras de toboganes y guerras de nieve.

◆ **Premios:** Guantes, mitones o calcetines de lana, gorros y bufandas.

¡Ven a mi fiesta!

Fecha: ....

Hora: ....

Dirección: ....

RSVP: ....

Ven a una fiesta en mi zoológico

El .... en .... dirección

TRANSMITIENDO:

TODOS LOS ROBOTS Y OPERADORES DE COMPUTADORAS REPÓRTENSE A:

.... (dirección)

el .... (fecha), entre las ...... y las ......

MODO: CUMPLEAÑOS

OBJETIVO DE LA COMUNICACIÓN:

CÓDIGO: .... (nombre)

Fin de la transmisión

Zoológico

- ✦ **Decoración:** En las paredes pega pedazos grandes de papel de estraza y dile a los niños que dibujen un mural de animales; sobre la mesa pon un letrero que diga PROHIBIDO DAR DE COMER A LOS ANIMALES, coloca muñecos de peluche grandes —osos, jirafas, leones, etcétera— en toda el área de la fiesta, usa platos, vasos, manteles y servilletas con motivos de animales o de jungla.
- ✦ **Pastel:** Leoncio el león.
- ✦ **Comida:** Animales crujientes, Nuggets de pollo, Sándwiches cebra, Jorobas de camello, Heno de chocolate, Figuras de fruta.
- ✦ **Bebida:** Jugo de la selva.
- ✦ **Juegos:** Te copio con animales (sólo se hacen movimientos de animales), Ranita ranita, A formar palabras, Montaña de juguetes, Sin patas (o, Sin manos), Animalia.
- ✦ **Actividad especial:** Proyección de un video o película donde salgan animales.
- ✦ **Premios:** Rompecabezas de animales, animales de plástico o de peluche, libros sobre animales, láminas de estampas de animales.

Robots y computadoras

- ✦ **Decoración:** Corta instrumentos y herramientas de cartulina y pégalos indicando el camino hacia el área de juegos, usa papel aluminio para decorar las paredes y la mesa, pega dulces en forma de botones sobre la mesa para simular paneles de control.
- ✦ **Pastel:** Roberto el robot.
- ✦ **Comida:** Nachos para niños, Elotes con mantequilla, Rodajas de papas, Discos galácticos, Rocas de chocolate, Barras de muesli.
- ✦ **Bebida:** Aceite de motor.
- ✦ **Juegos:** Te copio, Carrera de tres patas, Búsqueda de los componentes (también Búsqueda del tesoro), Dibujo ciego, Conjuntos musicales, Pasa el regalo misterioso.
- ✦ **Premios:** Teléfonos celulares de plástico, robots de juguete, herramientas de juguete, juegos de computadora manuales.

Halloween

- ✦ **Decoración:** Cubre las paredes y la mesa con tela negra, decora con telarañas sintéticas fluorescentes, atenúa las luces y cubre las ventanas con papel celofán naranja o verde, cuelga del techo globos negros, arañas y murciélagos de plástico, en la mesa pon calabazas huecas con caras y ponles una vela dentro, usa manteles y servilletas negros.
- ✦ **Pastel:** Calabaza.
- ✦ **Comida:** Alas de murciélago, Hot cakes de miedo, Trampas para ratón, Paletas de vainilla con fresa, Dedos sangrantes, Galletas crujientes, Tinas de sangre.
- ✦ **Bebida:** Brebaje de bruja.
- ✦ **Juegos:** Gallinita ciega, ¡Y explotó el boiler!, Apagón musical, Adivina sin ver, Barre el globo, Salta la escoba y Antorcha musical.
- ✦ **Actividad especial:** Cuenta historias de fantasmas.
- ✦ **Premios:** Dientes de plástico de vampiro, trucos de magia, barajas.

Las mil y una noches

- ✦ **Decoración:** Orilla los muebles de la habitación y coloca una "alfombra mágica" en el centro, cubre la alfombra con cojines, forra las paredes con telas de colores para que parezca una tienda, sirve la comida en una mesa baja.
- ✦ **Pastel:** Alfombra mágica.
- ✦ **Comida:** Dedos de plátano, nueces y dátiles, Jorobas de camello, Estrellas crujientes, Mini pizzas.
- ✦ **Bebida:** Brisa fresca.
- ✦ **Juegos:** Alfombra mágica musical, Cojines musicales (también se llama Sillas musicales), La mascada de la risa (también llamado El pañuelo de la risa), Equi-libro, Ponle la cola al camello, Le pedí al Genio de la lámpara (o, Cuando fui a Marte…).
- ✦ **Actividad especial:** Cuenta cuentos de *Las mil y una noches.*
- ✦ **Premios:** Joyas de plástico, mascadas y diademas exóticas, pipas de burbujas.

Exteriores

✦ **Decoración:** Elije una ambientación característica de exteriores lejos de la casa o prepara el asador en el jardín.

✦ **Pastel:** Viborita.

✦ **Comida:** Bichitos, Arañitas, Salchichas, Dip de cebolla, Paquetes de queso, Montículos.

✦ **Bebida:** Cordial de hormigas.

✦ **Juegos:** Sentones musicales, Islas musicales, La papa caliente, Búsqueda del tesoro, Competencia de pesca, Pasa la mochila (también se llama Pasa el regalo).

✦ **Actividad especial:** Caminata entre los arbustos.

✦ **Premios:** Gomitas grandes en forma de víboras, paquetes de semillas, regaderas de plástico, granjas de hormigas, insectarios, redes para atrapar mariposas.

Hippies

✦ **Decoración:** Decora la habitación con motivos de los sesenta como pósters de palomas de la paz, de Jimi Hendrix o del "Che" Guevara, alfombras de pelo largo, pantallas de macramé para las lámparas, telas de flores, mascadas de colores, campanas con moños, telas decoloradas y batik.

✦ **Pastel:** Florecita.

✦ **Comida:** Pizza, Brownies crujientes, Palitos de verduras y Dip de cebolla, Baño de lodo (o también Lodo del pantano), Rollos de jamón y huevo, Pan sicodélico de hadas.

✦ **Bebida:** Smoothie de plátano.

✦ **Juegos:** Sombrero y bufanda (usa estilos hippie), Preguntas, Dígalo con mímica, Pasa la caja.

✦ **Actividades especiales:** Peinados con trenzas, pinturas para la cara (flores y signos de paz).

✦ **Premios:** Parches para los pantalones de mezclilla, símbolos de paz, velas, varas de incienso.

Día de campo de osos de peluche

◆ **Decoración:** En un área al aire libre coloca varios osos de peluche esparcidos, usa un mantel para poner la comida o una tela con huellas de patas pintadas a mano, cuelga globos en los árboles.

◆ **Pastel:** Oso sabroso.

◆ **Comida:** Conos de choco-menta, Pasteles de ositos, Panes de plátano, Rollos de salchicha.

◆ **Bebida:** Jugo muu.

◆ **Juegos:** Carrera de osos, Montaña de juguetes (con osos de peluche), Los osos batean el globo, Pasa el regalo, Los animales.

◆ **Premios:** Osos de peluche, estampas de osos de peluche, libros, lápices, gomas y cuadernos de osos de peluche.

Navidad

◆ **Decoración:** Decora los marcos de las ventanas, las puertas con muérdagos, guías y adornos navideños, pon un árbol de Navidad decorado, cuelga listones rojos en las ventanas.

◆ **Pastel:** Dulce de Navidad.

◆ **Comida:** Blanca Navidad, Tostadas de camarón, Galletas rellenas, Rollos de salchicha, Bombones Frankfurt.

◆ **Bebida:** Ponche de Rodolfo.

◆ **Juegos:** Dígalo con mímica, La búsqueda del regalo, Recorta un árbol, Pasa el regalo, Santa dice (también se llama Simón dice), Carrera de renos (o, Carrera de osos).

◆ **Actividad especial:** Cantar villancicos navideños.

◆ **Premios:** Regalos pequeños del árbol, decoraciones para el árbol.

Viejo oeste

✦ **Decoración:** Si la fiesta es al aire libre pon pacas de paja para sentarse; si es en interior decora las paredes o el área de la fiesta con sillas de montar, lazos, botas de vaquero, paliacates, alfombras y decoraciones indias, colgantes, instrumentos o penachos de plumas. Con cajas grandes de cartón haz fuertes o carretas, pega cactus de cartulina, pon una tienda india para que jueguen los niños.

✦ **Pastel:** Bota texana.

✦ **Comida:** Guacamole con totopos, Nachos para niños, Elotes con mantequilla, Rodajas de papas, Hot dogs con frijoles, Arañas choco-cereza.

✦ **Bebida:** Jugo de cactus.

✦ **Juegos:** Comisarios e indios (también se llama Policías y ladrones), Ponle la cola al caballo, La papa caliente, Perros pastores saltarines (o, Conejitos saltarines), Caballadas.

✦ **Actividad especial:** Bailes sincronizados, pintura de cara como los indios.

✦ **Premios:** Juegos de indios y vaqueros, estrellas de comisarios, cuerdas.

Punk

✦ **Decoración:** Tapices negros detenidos con seguritos sobre los muebles y en las ventanas, pósters de grupos punk como Sex Pistols y The Ramones.

✦ **Pastel:** Cabeza punk.

✦ **Comida:** Caras punk, Dedos sangrantes, Arañas choco-cereza, Rollos de salchicha, Mini pizzas, Rollos de jamón y queso.

✦ **Bebida:** Araña de cola.

✦ **Juegos:** Juegos musicales con música punk, Guerra de jalones, Guerra de globos, Ponle la cola a la rata, Sid Vicious dice (conocido como Simón dice).

✦ **Premios:** Tatuajes adheribles, pintura para la cara, spray para el cabello de colores, anillos y aretes grandes de plástico.

Deportes

- ✦ **Decoración:** Cuelga pósters de deportistas famosos junto a gorras, banderines, trofeos, diplomas, etcétera, como mantel usa la sección de deportes del periódico.
- ✦ **Pastel:** Tenis.
- ✦ **Comida:** Bloques de chocolate, Barras de muesli, Albóndigas, Rollo de jamón y huevo, Elotes con mantequilla.
- ✦ **Bebida:** Sed de limón.
- ✦ **Juegos:** Obstáculos, Hockey, Por arriba por abajo, Preguntas de deportes, Carrera de cucharas y huevos, Guerra de jalones, Batea el globo, ¡Que no se caiga!
- ✦ **Premios:** Pelotas de tenis, juegos de golf, balones, tarjetas de beisbol.

Axel está invitado a la fiesta de deportes de Juan en el Gimnasio, el 23 de mayo de 10:30 a 2:30 p. m.

Circo

- ✦ **Decoración:** Dibuja caras de payasos en globos de colores y cuélgalos del techo; de un punto central cuelga muchas serpentinas de colores (de una lámpara, por ejemplo) para simular una carpa, esparce listones, confeti de colores, silbatos y globos en la mesa.
- ✦ **Pastel:** Payaso Tito.
- ✦ **Comida:** Caras de payaso, Crujiente de cereza, Bolas de palomitas con caramelo, Bombones Frankfurt.
- ✦ **Bebida:** Bebida de mango.
- ✦ **Juegos:** Brinca y revienta, Batea el globo, Globos voladores, El juego del chocolate, El pañuelo de la risa, Dibujo ciego, ¡Llora puerquito!, Te copio.
- ✦ **Actividad especial:** Actuación de un payaso o de un mago, los niños pueden crear su propio circo y hacer diferentes actos.
- ✦ **Premios:** Máscaras de payasos, pelucas y narices de payaso, libros sobre el circo, trucos de magia sencillos, imanes de payasos para el refri.

¡Ven a mi fiesta!

Fecha: .... Hora: ....

Dirección: ....

Teléfono: .... RSVP ....

Trae tu disfraz. Nos pintaremos la cara en la entrada.

Disco

- ✦ **Decoración:** Pon focos de colores en lugar de los normales, cuelga luces de fiesta, pon pósters de grupos y cantantes de música disco.
- ✦ **Pastel:** Bocina.
- ✦ **Comida:** Fudge choco-chip, Pizza, Hot dogs.
- ✦ **Bebida:** Malteada de malta.
- ✦ **Juegos:** Juegos musicales con música disco, El regalo misterioso, Búsqueda del tesorito, El juego del chocolate, Donas colgantes, Preguntas (de música).
- ✦ **Actividad especial:** Botones o chapas hechos con fotografías de revistas y que hagan sus propias chapas (pide o renta una máquina para la fiesta).
- ✦ **Premios:** Uñas postizas, brillantina de colores, pintura para la cara, aretes brillosos, lentes de sol.

Fiesta de agua

- ✦ **Decoración:** Decora las paredes o el área de la alberca con peces y animales marinos de cartón de colores, pon juguetes flotadores en la alberca, cuelga serpentinas azules o verdes, usa platos, vasos y servilletas con motivos de peces.
- ✦ **Pastel:** Pez.
- ✦ **Comida:** Tartas de queso con salmón, Salvavidas, Nuggets de pescado, Submarinos hundidos, Hamburguesas del pescador, Barras esponjosas, Botes hot dogs.
- ✦ **Bebida:** Ponche de frutas.
- ✦ **Juegos:** Pesca de manzanas, Carrera de agua, Competencia de pesca, Peces voladores, Carrera de cocodrilos, En la orilla en el río, ¿Qué hora es, señor Pez? (también conocido como ¿Qué hora es, señor Lobo?
- ✦ **Actividad especial:** Burbujas de jabón, guerra de agua o juegos en la alberca.
- ✦ **Premios:** Visores, tarros de crema, juguetes flotadores, esponjas con forma de peces para el baño.

Recetas para pasteles

Pastel de mantequilla

Tiempo de preparación: 20 minutos • **Tiempo de cocción:** 35-40 minutos • **Rinde** un pastel redondo o cuadrado de 23 cm (o uno rectangular de 28 x 18)

150g de mantequilla • ¾ taza de azúcar extrafina • 3 huevos • 1 cucharadita de esencia de vainilla • 1 ⅔ tazas de harina con 1 cucharadita de polvo para hornear • ⅓ taza de leche

1 Precalienta el horno a 180°C (moderado). Barniza el molde con mantequilla derretida o aceite. Forra la base y las paredes con papel para hornear.
2 En un tazón pequeño bate la mantequilla y el azúcar con una batidora eléctrica hasta que estén ligeras y cremosas. Añade gradualmente los huevos, bate bien después de cada adición. Agrega la esencia de vainilla, bate hasta que se integren todos los ingredientes.
3 Con una cuchara de metal incorpora la harina cernida y alterna con la leche. Revuelve hasta que la mezcla esté suave. No batas en exceso.
4 Coloca la mezcla en el molde. Hornea de 35 a 40 minutos o hasta que un palillo salga limpio al encajarlo en el centro. Deja reposar 5 minutos en el molde antes de desmoldar en una rejilla.

Nota: Las cantidades pueden ajustarse a la mayoría de los moldes. Haz 1 ½ tantos de la mezcla para un pastel de 20 x 30 cm, y 2 tantos para un molde grande. Cuando uses un molde grande fórralo con papel para hornear que cuelgue 3 cm en cada lado. Usa la mezcla sobrante para pastelitos pequeños.

Glaseado esponjoso

Tiempo de preparación: 15 minutos • **Tiempo de cocción:** 5 minutos • **Rinde** un tanto

1 ¼ tazas de azúcar extrafina • ½ taza de agua • 3 claras de huevo

1 En una sartén pequeña mezcla el azúcar y el agua. Revuelve constantemente durante 1 minuto a fuego lento hasta que hierva y el azúcar se disuelva. Hierve a fuego lento, sin tapar, revolviendo durante 5 minutos.
2 Con una batidora eléctrica bate las claras en un tazón limpio y seco hasta que formen picos firmes.
3 En un chorro fino constante vierte la mezcla del azúcar sobre las claras, sin dejar de batir, hasta que el glaseado esté espeso, brillante y aumente su tamaño.

Crema de mantequilla

Tiempo de preparación: 15 minutos

Tiempo de cocción: -

Rinde: 1 tanto

250g de mantequilla • 1 ⅓ tazas de azúcar glas, cernida • 2 cucharadas de leche, caliente

1 En un tazón pequeño bate la mantequilla hasta que esté ligera y cremosa.
2 Añade gradualmente el azúcar y la leche, batiendo durante 5 minutos o hasta que la mezcla esté suave, ligera y cremosa.

Calabaza, página 28

Payaso Tito, página 36

Dino el dinosaurio, página 22

Con un pastel base y un poco de glaseado podrás hacer pasteles de cumpleaños espectaculares.

Pastel de zanahoria

Tiempo de preparación: 30 minutos • **Tiempo de cocción:** 1 hora • **Rinde** un pastel cuadrado de 20 cm

2 tazas de zanahoria, rallada • ½ taza de pasitas • ⅔ taza de nueces de nogal, picadas • 1 taza de azúcar extrafina • 3 huevos, ligeramente batidos • ¾ taza de aceite vegetal • 2 tazas de harina con 1 cucharadita de polvo para hornear • 2 cucharaditas de especias mixtas • 2 cucharaditas de jengibre, rallado • 1 cucharadita de canela, molida • 1 cucharadita de bicarbonato de sodio

1 Precalienta el horno a 180°C (moderado). Engrasa con mantequilla derretida o aceite un molde profundo y cuadrado de 20 cm, forra la base con papel para hornear. En un tazón grande coloca las zanahorias, las pasitas, las nueces y el azúcar. Añade los huevos mezclados con el aceite.

2 Agrega la harina cernida, las especias y el bicarbonato. Combina con una cuchara de madera.

3 Vierte la mezcla al molde, empareja la superficie. Hornea durante 1 hora o hasta que un palillo salga limpio al encajarlo en el centro. Deja enfriar sin desmoldar durante 10 minutos antes de colocarlo sobre una rejilla.

Nota: Puedes usar el pastel de zanahoria como alternativa al pastel de mantequilla. Decora y guarda igual que el pastel de mantequilla.

Nota: Añade color y usa de inmediato el glaseado esponjoso y la crema de mantequilla, antes de que empiecen a endurecerse y cuajarse. Una vez glaseado y decorado, puedes guardar el pastel durante varias horas en un lugar oscuro y fresco. No refrigeres pasteles cubiertos con glaseado esponjoso, pues la superficie se vuelve pegajosa y el glaseado puede comenzar a separarse.

Advertencia

Usa brochetas de madera para armar los pasteles, pero quítalas siempre antes de servir. Es fácil que se pierdan al cortar las rebanadas y los niños pueden ahogarse o lastimarse.

Solecito, página 24

Leoncio el león, página 26

Ovni, página 21

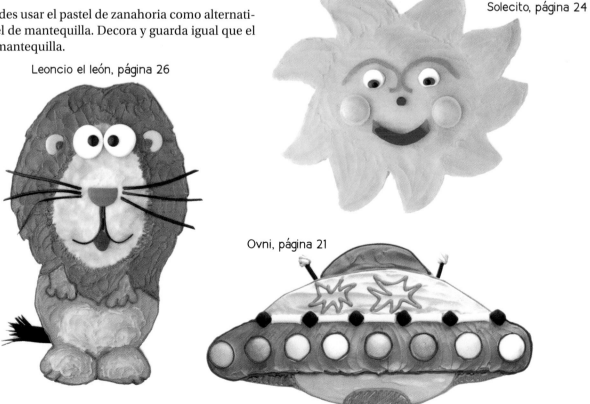

Pasteles para fiestas

Estrellita

1 pastel rectangular de 20 x 30 cm • 1 pastel rectangular de 28 x 18 cm • 1 tanto de glaseado esponjoso • Colorante vegetal rosa • Pelotitas de azúcar, plateadas y rosas • Dulces blancos en forma de corazón • Dulces pequeños para pastel

Coloca los pasteles juntos, la orilla de 30 cm contra la orilla de 28 cm de manera que haya una diferencia de 2 cm en la parte superior. Únelos con un poco de glaseado. Acomoda la plantilla (página 105) sobre ambos pasteles. Con un cuchillo pequeño y plano corta por la orilla de la plantilla. Coloca el pastel en una base para pasteles. Pinta el glaseado de color rosa pálido. Pinta ¼ de taza del glaseado rosa más fuerte. Cubre el pastel con el glaseado rosa pálido como se muestra en la ilustración. Con una duya decora con el glaseado rosa más fuerte. Decora con dulces variados.

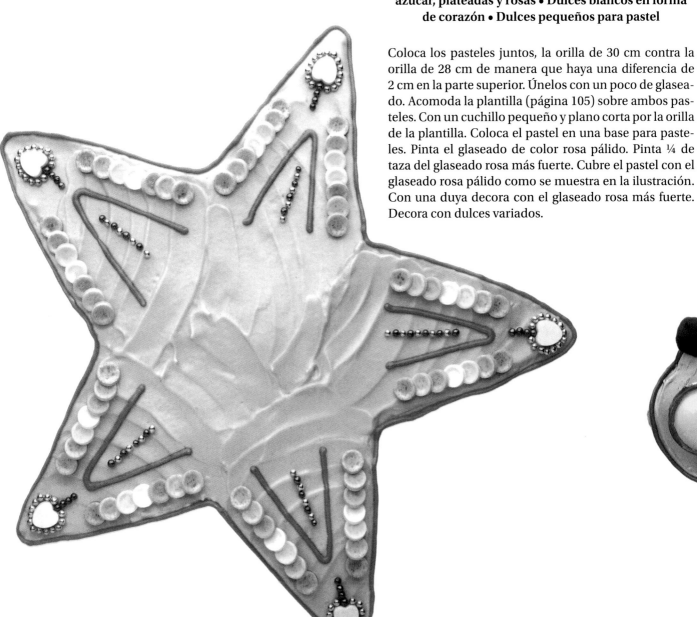

Con un pastel de mantequilla y unos dulces, crear formas
divertidas es más fácil de lo que parece

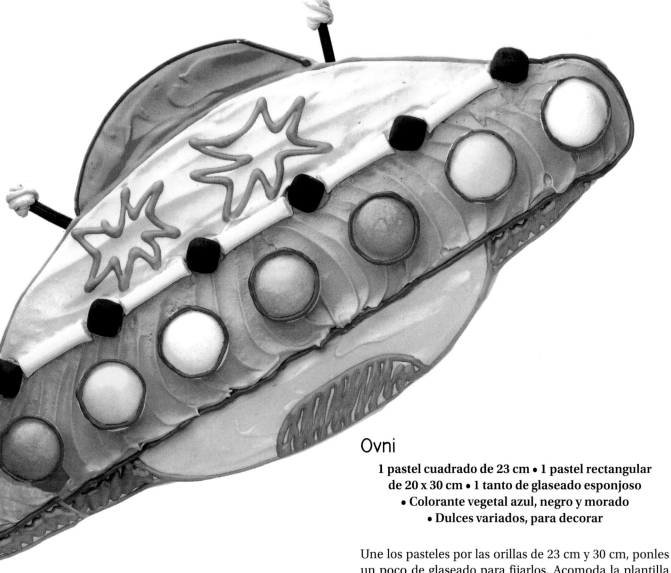

Ovni

**1 pastel cuadrado de 23 cm • 1 pastel rectangular
de 20 x 30 cm • 1 tanto de glaseado esponjoso
• Colorante vegetal azul, negro y morado
• Dulces variados, para decorar**

Une los pasteles por las orillas de 23 cm y 30 cm, ponles
un poco de glaseado para fijarlos. Acomoda la plantilla
(página 104) sobre los pasteles. Con un cuchillo pequeño
y plano corta a lo largo de la plantilla. Coloca el pastel sobre una base para pasteles. Pinta de azul una buena cantidad de glaseado. Divide el resto en dos, pinta una mitad
de negro y la otra de morado. Glasea como se muestra y
usa una duya para lo que requiera más precisión. Decora
con los dulces como se muestra en la ilustración.

Dino el dinosaurio

**1 pastel cuadrado de 23 cm • 1 pastel rectangular de 20 x 30 cm
• 2 tantos de crema de mantequilla • Colorante vegetal
azul y negro • Dulces morados, para el cuerpo
• Jelly beans blancos, para los ojos**

Junta los pasteles por los extremos más cortos y fíjalos con un poco de la crema. Acomoda la plantilla (página 106) sobre los pasteles. Con un cuchillo pequeño y plano corta a lo largo de la plantilla. Pinta la crema de mantequilla de color azul, deja una cantidad pequeña sin pintar y otra cantidad para pintar de negro. Coloca el pastel sobre una base para pastel. Unta la crema como se muestra y decora con los dulces. Usa la crema color negro para las líneas finas

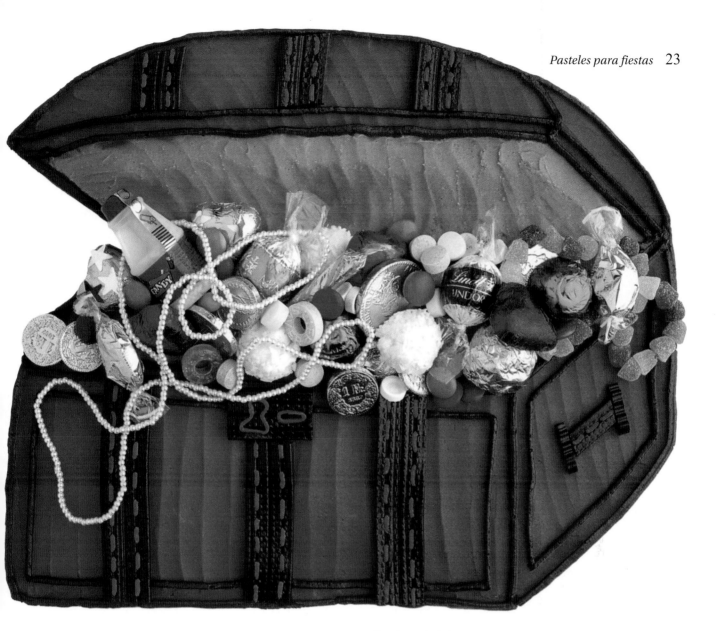

Cofre del tesoro

2 pasteles rectangulares de 20 x 30 cm • 1 ½ tantos de crema de mantequilla • Colorante vegetal rosa y negro • Tiras de regaliz negro, para el cofre • Dulces variados, para el tesoro • Tira de cuentas, para decorar

Junta los pasteles por los lados largos y fija con un poco de la crema. Acomoda la plantilla (página 106) sobre los pasteles. Con un cuchillo pequeño y plano corta a lo largo de la plantilla. Coloca el pastel sobre una base para pastel. Con una brocheta fina haz agujeros a través de la plantilla para tener una guía de los detalles. Pinta una cantidad grande de crema de mantequilla con color rosa, divide el resto en dos. Pinta una parte de color rosa pálido y la otra de negro. Unta la crema como se muestra. Usa una duya para delinear con negro. Corta las tiras de regaliz para el cofre. Con una duya haz líneas finas para las costuras. Decora el cofre con los dulces y las cuentas.

Pastel solecito

2 pasteles rectangulares de 20 x 30 cm
• 2 tantos de crema de mantequilla
• Colorante vegetal amarillo y naranja
• Dulces variados, para la cara

Coloca los pasteles juntos por los lados largos y fíjalos con un poco de la crema. Acomoda la plantilla (página 107) sobre los pasteles. Con un cuchillo pequeño y plano corta a lo largo de la plantilla. Coloca el pastel sobre una base para pastel. Pinta la crema de mantequilla de color amarillo. Pinta una porción pequeña de la crema de color naranja. Cubre el pastel como se muestra. Con la crema naranja haz trazos para darle toques de luz. Decora con los dulces como se ve en la ilustración.

Pedro el pingüino

**1 pastel cuadrado de 23 cm • 1 pastel rectangular
de 20 x 30 cm • 1 ½ tantos de crema de mantequilla
• Colorante vegetal negro, amarillo y azul
• 1 disco de chocolate blanco, para el ojo
• 1 malvavisco pequeño, para el interior del ojo
• 1 jelly bean negro pequeño, a la mitad, para la pupila
• 1 víbora de gomita naranja, para la boca**

Junta los pasteles por los lados cortos y fíjalos con un poco de la crema. Acomoda la plantilla (página 107) sobre los pasteles. Con un cuchillo pequeño y liso corta a lo largo de la plantilla. Coloca el pastel sobre una base para pastel. Con una brocheta fina haz agujeros a través de la plantilla para tener una guía de los detalles. Pinta la crema de mantequilla con los colores necesarios, cubre el pastel con la crema y decora con los dulces como se muestra en la ilustración.

Leoncio el león

2 pasteles rectangulares de 20 x 30 cm
• 1 ½ tantos de crema de mantequilla
• 100g de chocolate oscuro, derretido
• Colorante vegetal café
• 2 malvaviscos grandes blancos,
para los ojos • 2 discos de caramelo,
para las orejas • 1 disco grande de
chocolate, para la nariz • 2 dulces
pequeños negros, para los ojos
• Tiras de regaliz negro, para la cola,
la boca y los bigotes
• 1 dulce rojo, para la boca

Junta los pasteles por los lados largos y fíjalos con un poco de la crema. Acomoda la plantilla (página 102) sobre los pasteles. Con un cuchillo pequeño y liso corta a lo largo de la plantilla. Coloca el pastel sobre una base para pastel. Con una brocheta fina haz agujeros a través de la plantilla para tener una guía de la cara. Divide la crema de mantequilla en dos mitades. Bate el chocolate derretido junto con una mitad de la crema. Divide la otra mitad de la crema en dos porciones. Pinta una porción con pintura café y la otra de color beige claro. Cubre el pastel con la crema y decora con los dulces como se muestra en la ilustración.

Roberto el robot

2 pasteles rectangulares de 20 x 30 cm • 2 tantos de glaseado esponjoso • Colorante vegetal morado y durazno • 1 tira de regaliz negro, finamente cortada • Dulces variados, para la cara y el cuerpo

Junta los pasteles por los lados largos y fíjalos con un poco de glaseado. Acomoda la plantilla (página 102) sobre los pasteles. Con un cuchillo pequeño y liso corta a lo largo de la plantilla. Coloca el pastel sobre una base para pastel. Con una brocheta fina haz agujeros a través de la plantilla para tener una guía de la cara. Pinta de color morado ¾ del glaseado y el resto de color durazno. Glasea y decora con los dulces como se muestra.

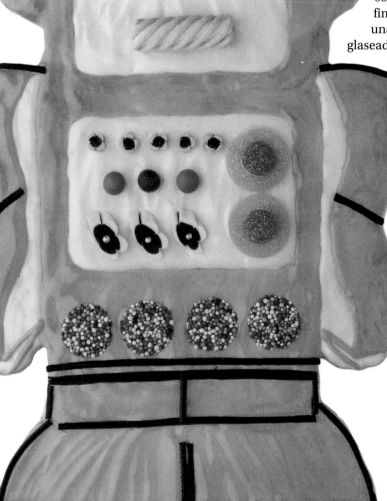

Calabaza

2 pasteles cuadrados de 23 cm • 1 tanto de crema de mantequilla • Colorante vegetal naranja y negro • 1 tira de regaliz negro, para la cara

Junta los pasteles por los lados y fíjalos con un poco de la crema. Acomoda la plantilla (página 100) sobre los pasteles. Con un cuchillo pequeño y liso corta a lo largo de la plantilla. Coloca el pastel sobre una base para pastel. Pinta de color durazno una pequeña cantidad de la crema de mantequilla; de color negro ¼ del resto y el sobrante de color naranja brillante. Cubre el pastel con la crema como se muestra en la ilustración. Con el glaseado negro haz líneas finas. Con un cuchillo filoso o con tijeras corta el regaliz (también puedes cortarlo en tiras finas para las líneas de la calabaza).

Nota: Puedes usar dos pasteles hechos en un molde grande. Unta un poco de mermelada en un pastel y coloca encima el otro. Coloca la plantilla sobre los pasteles y sigue las instrucciones anteriores.

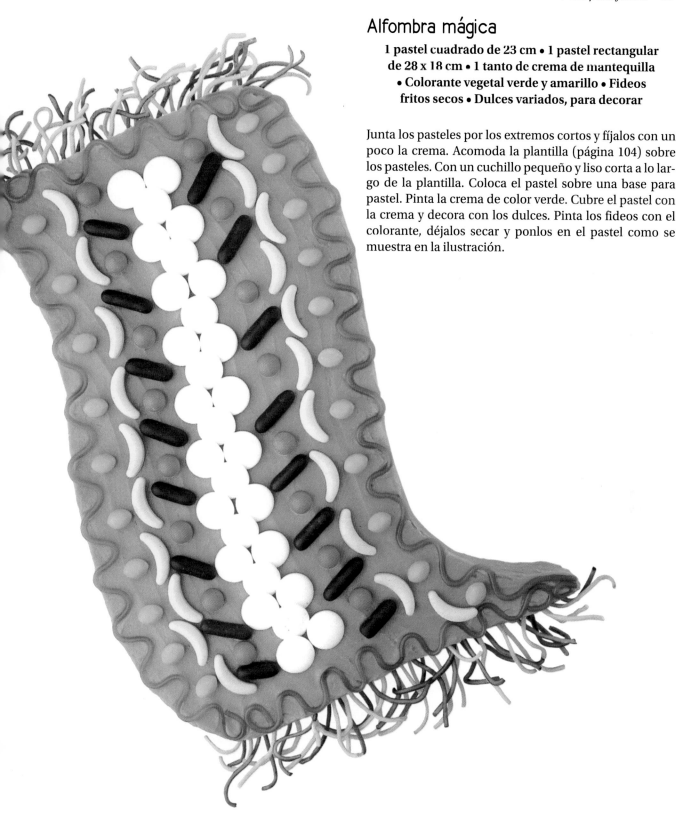

Alfombra mágica

1 pastel cuadrado de 23 cm • 1 pastel rectangular de 28 x 18 cm • 1 tanto de crema de mantequilla • Colorante vegetal verde y amarillo • Fideos fritos secos • Dulces variados, para decorar

Junta los pasteles por los extremos cortos y fíjalos con un poco la crema. Acomoda la plantilla (página 104) sobre los pasteles. Con un cuchillo pequeño y liso corta a lo largo de la plantilla. Coloca el pastel sobre una base para pastel. Pinta la crema de color verde. Cubre el pastel con la crema y decora con los dulces. Pinta los fideos con el colorante, déjalos secar y ponlos en el pastel como se muestra en la ilustración.

Viborita

250g de chocolate oscuro, derretido
• 250g de chocolate de leche, derretido • 250g de chocolate blanco, derretido
• 2 pasteles rectangulares de 20 x 30 cm • 2 tantos de crema de mantequilla • 250g de chocolate oscuro, derretido • Colorante vegetal café • Botones o discos de chocolate blanco, grandes • Tiras de regaliz, cortadas en tiras finas, para las pestañas y delinear
• 1 jelly bean negro, pequeño, cortado a la mitad, para los ojos • 1 gomita grande de naranja, cortada, para la boca

Forra varias charolas para horno con papel para hornear. Con una duya haz botones pequeños, medianos y grandes de chocolate oscuro sobre las charolas. Deja que se endurezcan. Retira el papel y repite con el chocolate de leche y el blanco. Usa bolsas pequeñas para hacerlo y tíralas después de cada uso. (Prepara varias bolsas antes de derretir el chocolate, y cambia de bolsa conforme lo necesites). Junta los pasteles por los extremos cortos y fíjalos con un poco de la crema. Acomoda la plantilla (página 103) sobre los pasteles. Con un cuchillo pequeño y liso corta a lo largo de la plantilla. Coloca el pastel sobre una base para pastel. Incorpora el chocolate derretido con ⅔ de la crema de mantequilla. Cubre la cabeza y el cuerpo de la víbora. Reserva 2 cucharadas de la crema restante y píntala de color café oscuro. Unta la crema en la cabeza, como se muestra. Decora con los botones de chocolate y los dulces para la cara, como se ve en la ilustración.

Consejo: En lugar de hacerlos puedes comprar botones grandes, medianos y pequeños de chocolate blanco, oscuro y de leche.

Florecita

**1 pastel rectangular de 20 x 30 cm • 1 pastel
rectangular de 28 x 18 (o un pastel cuadrado
de 20 cm) • 1 tanto de glaseado esponjoso
• Colorante vegetal amarillo y rosa
• Pelotitas de azúcar de colores**

Junta los pasteles por los extremos cortos y fíjalos con un
poco de glaseado. Acomoda la plantilla (página 100) sobre los pasteles. Con un cuchillo pequeño y liso corta a lo
largo de la plantilla. Coloca el pastel sobre una base para
pastel. Pinta una pequeña porción del glaseado con color
rosa y el resto con amarillo. Pinta una pequeña porción
de color amarillo más fuerte para delinear. Glasea el pastel como se muestra en la ilustración. Decora el centro
con las pelotitas de azúcar.

Oso sabroso

1 pastel rectangular de 20 x 30 cm • 1 pastel cuadrado de 23 cm • 1 ½ tantos de crema de mantequilla • 250g de chocolate oscuro, derretido • ½ tanto de glaseado esponjoso • Colorante vegetal café • Dulces variados, para la cara

Junta los pasteles por los lados de 20 y de 23 cm y fíjalos con un poco de glaseado. Acomoda la plantilla (página 103) sobre los pasteles. Con un cuchillo pequeño y liso corta a lo largo de la plantilla. Coloca el pastel sobre una base para pastel. Con una brocheta fina haz agujeros a través de la plantilla para tener una guía de la cara. Con una batidora eléctrica bate el chocolate derretido junto con la crema de mantequilla. Reserva ¼ de taza y píntala de color café oscuro con el colorante. Pinta el glaseado de color café claro. Glasea el pastel como se muestra. Decora la cara con los dulces. Con una brocheta "despeina" las líneas de la crema café oscuro para que parezca pelo.

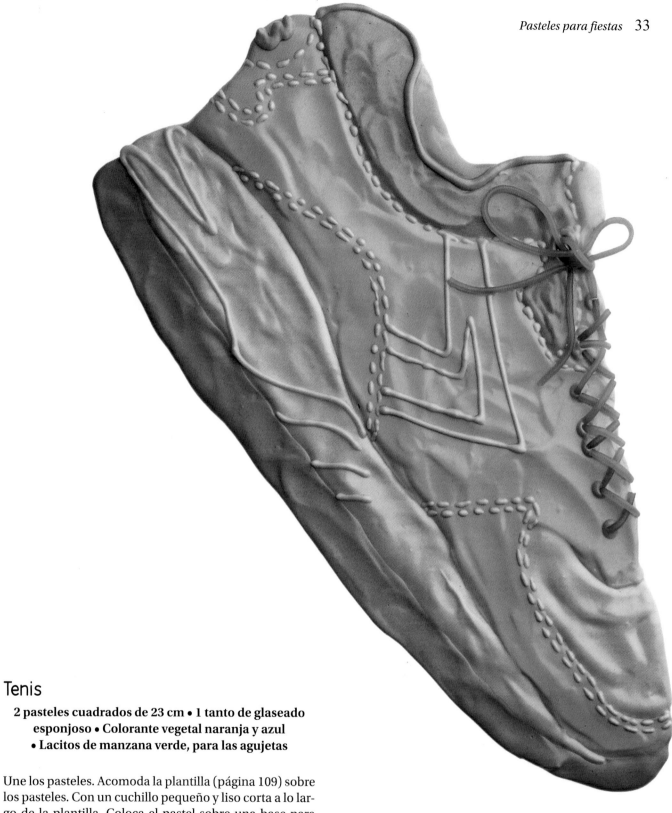

Tenis

**2 pasteles cuadrados de 23 cm • 1 tanto de glaseado
esponjoso • Colorante vegetal naranja y azul
• Lacitos de manzana verde, para las agujetas**

Une los pasteles. Acomoda la plantilla (página 109) sobre
los pasteles. Con un cuchillo pequeño y liso corta a lo largo de la plantilla. Coloca el pastel sobre una base para
pastel. Pinta el glaseado con los colorantes. Haz agujeros
a través de la plantilla para tener una guía de los detalles.
Glasea el pastel como se muestra. Corta los lacitos del tamaño que los necesites y colócalos en el pastel con unas
pinzas. Con una duya pinta un número en la parte posterior, según la edad del niño.

Bota texana

1 pastel rectangular de 20 x 30 cm • 1 pastel cuadrado de 20 cm • ½ tantos de crema de mantequilla • Colorante vegetal rojo • Tiras, espirales y todo tipo de de regaliz, para decorar • Dulces amarillos y naranjas, pequeños • 1 estrella plateada de juguete, para la espuela

Junta los pasteles por los extremos cortos y fíjalos con un poco de la crema. Acomoda la plantilla (página 105) sobre los pasteles. Con un cuchillo pequeño y liso corta a lo largo de la plantilla. Coloca el pastel sobre una base para pastel. Pinta la crema de color rojo brillante y cubre el pastel como se muestra. Corta el regaliz para decorar y decora como se ve en la ilustración.

Cabeza punk

2 pasteles cuadrados de 20 cm • 2 tantos de crema de mantequilla • Colorante vegetal verde, naranja y durazno • Tiras de regaliz • Pelotitas de azúcar, de colores • 1 dulce blanco, para el ojo • 1 jelly bean negro pequeño, a la mitad • Seguritos grandes y pequeños

Junta los pasteles por los extremos y fíjalos con un poco de la crema. Acomoda la plantilla (página 108) sobre los pasteles. Con un cuchillo pequeño y liso corta a lo largo de la plantilla. Coloca el pastel sobre una base para pastel. Pinta de verde ¼ de la crema, otro ¼ de naranja. Pinta el resto con el colorante durazno, reserva 2 cucharadas de color más fuerte. Corta el regaliz en líneas finas para la línea del cabello y la oreja. Corta otro pedazo para la ceja y la boca. Coloca los seguritos en una tira de regaliz para el collar. Decora con dulces como se muestra en la ilustración.

Dulce de Navidad

2 pasteles rectangulares de 18 x 28 cm • 1 tanto de glaseado esponjoso • Colorante vegetal verde • Pelotitas de azúcar de colores • Listón verde y rojo • Arbolitos de Navidad de cartulina dorada o plateada • Pegamento brillante no tóxico, para decorar los arbolitos • Estampas de estrellitas de colores, para los arbolitos • Trozos de regaliz

Junta los pasteles por los extremos cortos y fíjalos con un poco de glaseado. Acomoda la plantilla (página 108) sobre los pasteles. Con un cuchillo pequeño y liso corta a lo largo de la plantilla. Coloca el pastel sobre una base para pastel. Pinta el glaseado de color verde. Reserva ¼ de taza y píntalo de verde más oscuro. Glasea el pastel como se muestra. Decora con los arbolitos, las pelotitas y los trozos de regaliz. Delinea con el glaseado verde oscuro. Por último, coloca los listones.

Payaso Tito

2 pasteles rectangulares de 28 x 18 cm • 1 tanto de glaseado esponjoso • Colorante vegetal azul, amarillo, verde, rojo y naranja • Gomitas de víbora color naranja, para las cejas • Lunetas para los ojos, la corbata y el sombrero • Dulce rojo para la nariz • 2 duces blancos ovalados, para los ojos • 1 flor de plástico grande, para el sombrero

Junta los pasteles por los extremos largos y fíjalos con un poco de glaseado. Acomoda la plantilla (página 101) sobre los pasteles. Con un cuchillo pequeño y liso corta a lo largo de la plantilla. Coloca el pastel sobre una base para pastel. Con una brocheta fina haz agujeros a través de la plantilla para tener una guía de los detalles de la cara. Pinta el glaseado con los colores necesarios. Glasea y decora con los dulces como se muestra en la ilustración.

Pez

2 pasteles cuadrados de 23 cm • 1 tanto de glaseado esponjoso • Colorante vegetal verde, naranja y amarillo • 1 disco de chocolate grande, para el ojo • 1 dulce de durazno ovalado, para el ojo • 1 luneta azul, para el ojo

Junta los pasteles. Acomoda la plantilla (página 101) sobre los pasteles. Con un cuchillo pequeño y liso corta a lo largo de la plantilla. Coloca el pastel sobre una base para pasteles. Deja una pequeña cantidad de glaseado sin pintar. Divide el resto del glaseado en tres tazones y pinta uno de amarillo, otro de verde y otro de naranja. Glasea el pastel y decora con los dulces como se muestra en la ilustración.

Bocina

1 pastel rectangular de 20 x 30 cm • 1 tanto de crema de mantequilla • Colorante artificial azul y amarillo
• 100g de chocolate blanco, derretido
• 50g de chocolate oscuro, derretido
• Regaliz amarillo

Acomoda la plantilla (página 109) sobre el pastel. Con un cuchillo pequeño y liso corta a lo largo de la plantilla. Coloca el pastel sobre una base para pasteles. Marca los círculos y corta los agujeros de las bocinas de 2 cm de profundidad. Quita los círculos y deséchalos. Pinta ⅔ de la crema de azul y el resto de amarillo. Cubre el pastel con la crema como se muestra. Forra una charola con papel para hornear. Con una duya dibuja sobre el papel notas musicales de chocolate blanco y oscuro. Deja que se endurezcan. Pinta de color azul el resto del chocolate blanco. Traza la circunferencia de los agujeros sobre el papel y dibújala con el chocolate azul. Traza unas rejillas en la circunferencia y deja que seque. Levanta con cuidado las figuras de chocolate y ponlas en el pastel. Coloca una rebanada de regaliz en cada esquina.

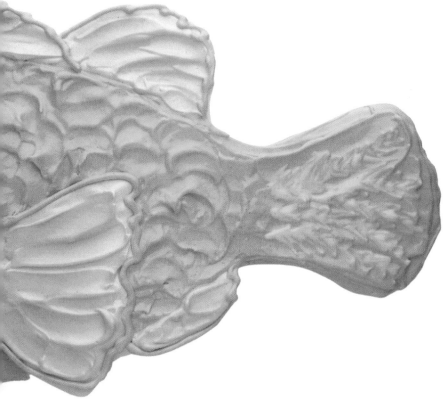

Uno: soldado

2 pasteles largos de 26 x 8 x 4.5 cm • 1 rollo relleno de mermelada, para el sombrero • 1 tanto de crema de mantequilla • Colorante vegetal rojo, azul y negro • 1 malvavisco blanco grande, cortado a la mitad • 1 malvavisco torcido • Rollos de durazno • Jelly beans amarillos pequeños, cortados a la mitad

Corta los pasteles como se indica en el diagrama. Con tijeras corta los rollos de durazno para los hombros, muñecas, cinturón y lateral del pantalón. Pon una capa doble de crema en los zapatos para que resalten un poco. Delinea con negro para definir.

Dos: víbora

1 pastel largo de 26 x 8 x 4.5 cm • 1 pastel de rosca de 20 cm • 1 tanto de crema de mantequilla • Colorante vegetal café • Lunetas • Malvavisco blanco, cortado a la mitad • Regaliz negro, en tiras, para la boca • Lacitos verdes, para la lengua • Chochitos de colores • Jelly bean negro, pequeño, cortado a la mitad, para los ojos

Corta los pasteles como se indica en el diagrama. Reserva ¼ de la crema sin pintar y pinta de café el resto. Cubre el pastel como se muestra. Haz líneas con la crema blanca y rellena con chochitos. Decora con lunetas y otros dulces para la cara como se muestra en la ilustración.

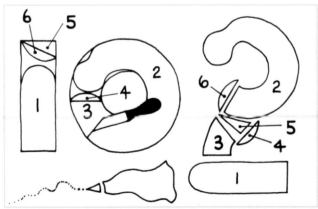

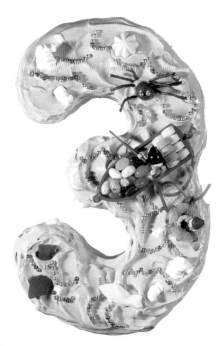

Tres: mar

2 pasteles de rosca de 20 cm • 1 tanto de glaseado esponjoso • Colorante vegetal azul y café • Pelotitas de azúcar de colores • Dulces con figuras de caballo de mar, pez, estrella de mar y conchitas • Pelotitas de chocolate • Fideos fritos • Dona de gomita verde • Lacitos verdes • 1 lancha de juguete cargada con jelly beans y otros dulces pequeños • Muñecos pequeños

Corta los pasteles como se indica en el diagrama. Pinta el glaseado de color azul claro. Glasea como se muestra. Haz espirales con el glaseado para hacer olas y decora la parte superior con las pelotitas. Corta los caballos de mar a la mitad y presiona contra el glaseado. Coloca un muñeco pequeño en la dona de gomita para que parezca un salvavidas. Ata la lancha con el lacito verde y colócalo sobre el pastel. Pinta los fideos de color café para los tentáculos del pulpo.

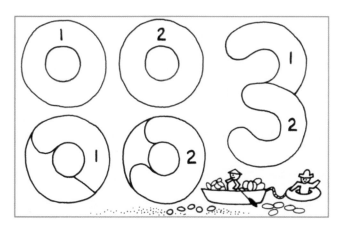

Cuatro: muñeca

3 pasteles de 26 x 8 x 4.5 cm • 1 tanto de crema de mantequilla • Colorante vegetal rojo, rosa y café • Fideos fritos, para el cabello • Lunetas rojas, para las mejillas • Malvaviscos blancos pequeños, cortados a la mitad, para los ojos • Jelly beans azul y café pequeños, cortados a la mitad, para la nariz y los ojos • Chochitos, para el chaleco • Lacitos rojos, para los moños • Lacitos verdes, para las agujetas • Víbora de gomita roja, para la boca • Dulces verdes, para los botones • Dulce amarillo con un "4" de glaseado para el chaleco

Corta los pasteles como se indica en el diagrama. Pinta de color rojo una pequeña porción de la crema y otra de café. Deja ½ taza sin pintar y pinta el resto de rosa pálido. Cubre el pastel con la crema como se muestra. Haz líneas finas para marcar el chaleco y la blusa. Dibuja líneas finas rojas para la falda. Presiona los fideos contra el pastel para hacer el cabello. Decora con los dulces como se muestra en la ilustración.

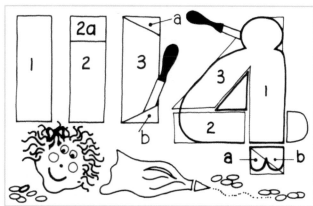

Cinco: tren

1 pastel de rosca de 20 cm • 1 pastel de barra 26 x 8 x 4.5 cm • 1 rol con mermelada • 1 tanto de crema de mantequilla • 50g de chocolate derretido • Colorante vegetal rojo y amarillo • Tiras de regaliz • Caramelos de plátano • Palomitas de colores • Caramelos de goma, pequeños • Azúcar de cebada • Pelotitas de regaliz • Lunetas • Víbora de gomita verde • Malvaviscos • Botones grandes de chocolate, para las ruedas • Tiras de regaliz, para la cabina • 1 caramelo Salvavidas, para la cabina • Trozos de regaliz • Algodón, para el vapor

Corta los pasteles como se indica en el diagrama. Reserva ½ taza de la crema y pinta el resto con el chocolate derretido, bate hasta que esté suave. Pinta de rojo la mitad de la crema reservada y de amarillo la otra mitad. Glasea el pastel como se muestra. Recorta el rol para que se pare en la cabina, cubre con la crema de chocolate. Junta con los trozos de regaliz. Decora con dulces, como se muestra.

Seis: patineto

1 pastel de rosca de 20 cm • 1 pastel de 26 x 8 x 4.5 cm • 1 tanto de crema de mantequilla • Colorante vegetal azul, amarillo y café • Rollo de guayaba • Lunetas • Chocolates, ovalados, para zapatos • Jelly beans negros, pequeños, para ruedas y ojos • Gomitas de víbora naranja, para brazos y piernas • Malvaviscos, para calcetines y cuello • Tiras de regaliz, para pelo • Gomita de víbora roja, para boca • Caramelos rosas, para pantalones • Chochitos

Corta los pasteles como se muestra en el diagrama. Reserva ⅓ de taza de la crema y pinta el resto de azul. Pinta un tercio de la crema reservada de color café y el resto de amarillo. Glasea como se muestra. Con tijeras corta las viboritas para las piernas y los brazos. Corta el rollo para la gorra y la patineta. Decora con los dulces como se muestra.

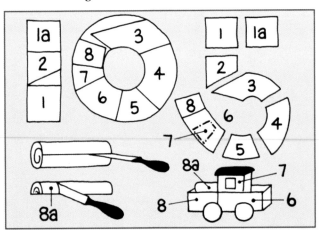

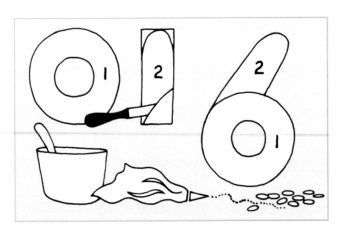

Siete: palmera

2 pasteles largos de 26 x 8 x 4.5 cm • 1 tanto de crema de mantequilla • Dulces de plátano, grandes y pequeños • Hojas de menta • Gomitas verdes • Colorante vegetal verde y amarillo • Pájaro de juguete

Corta los pasteles como se muestra en el diagrama. Reserva ¼ de la crema y píntala de azul. Divide en dos el resto de la crema. Pinta una porción de amarillo y la otra de verde. Cubre el pastel como se muestra. Corta las hojas de menta en mitades a lo largo. Corta las gomitas en forma de hojas de palmera grandes. Decora el árbol con las hojas y los plátanos. Coloca el pájaro en el árbol. Pinta de amarillo más oscuro una pequeña cantidad de la crema amarilla y espárcela por el tronco para darle efecto.

Ocho: hada

1 pastel redondo de 20 cm • 1 pastel de rosca de 20 cm • 1 tanto de glaseado esponjoso • Colorante vegetal morado y rosa • Malvaviscos finos verdes, amarillos, rosas y blancos • Pelotitas de azúcar de colores • Jelly bean morado, cortado en mitades, para ojos • Dulces rojos en forma de corazón, para mejillas • Dulce de plátano, para boca • Fideos fritos, para pelo • Varita de cartulina

Corta los pasteles como se muestra en el diagrama. Divide el glaseado en dos. Pinta de morado una porción. Reserva ⅓ de taza del resto y pinta la otra parte de color rosa. Glasea el pastel como se muestra. Pinta de rosa más oscuro una porción pequeña del glaseado rosa y delinea la cara y el cuerpo. Usa el glaseado sin pintar para la cara y las manos. Decora con dulces como se muestra.

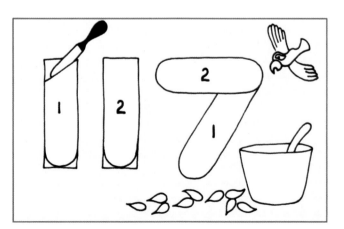

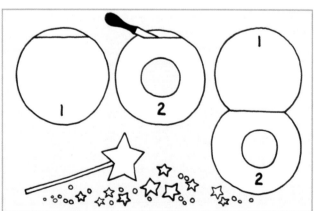

Comida para la fiesta

Pan sicodélico de hadas

Tiempo de preparación: 10 minutos
• **Tiempo de cocción:** - • **Rinde** 8

8 rebanadas de pan blanco • 40g de mantequilla, suavizada • Grajeas de colores

1 Unta el pan con mantequilla, quita las costras. Coloca un cortador para galletas en el centro de las rebanadas, como guía. Espolvorea un poco de grajeas por dentro de la guía y otro poco, de otro color, por fuera.
2 Retira el cortador, presiona un poco las grajeas con los dedos.

Pastelitos de hadas

Tiempo de preparación: 15 minutos • **Tiempo de cocción:** 15 minutos • **Rinde** aproximadamente 35

1 paquete de 340g de mezcla para pastel de mantequilla • 2 cucharadas de ralladura de limón • ⅔ taza de mantequilla de limón • ½ taza de crema espesa • Pelotitas plateadas, para decorar • ¼ taza de azúcar glas

1 Precalienta el horno a 180°C (moderado). Forra con capacillos dos charolas de 12 moldes para cupcakes. Sigue las instrucciones del paquete para hacer la mezcla del pastel. Incorpora la ralladura.
2 Coloca 1 cucharada de la mezcla en cada capacillo. Hornea durante 15 minutos. Enfría sobre una rejilla.
3 Cuando estén tibios corta una sección redonda de la parte superior de cada pastel, dejando una pequeña cavidad. Corta los círculos en mitades. Coloca ½ cucharadita de mantequilla de limón en cada cavidad. Bate la crema hasta que forme picos firmes. Coloca 1 cucharada de crema en cada cavidad. Presiona los medios círculos encima en forma de alas. Decora con pelotitas y espolvorea con azúcar glas.

Alas de murciélago: Haz el pastel siguiendo las instrucciones del paquete. Para hacer el relleno incorpora ½ taza de crema batida con 2 cucharadas de helado de chocolate para el *topping*.

Varitas de hada

Tiempo de preparación: 20 minutos + 1 hora de refrigeración • **Tiempo de cocción:** 15 minutos por charola • **Rinde** 10

90g de mantequilla, picada • ⅓ taza de azúcar extrafina • ¾ taza de harina • ¼ taza de harina con ⅛ cucharadita de polvo para hornear • 2 cucharadas de mezcla para costra de pay • 1 huevo, ligeramente batido • 200g de chocolate oscuro, derretido • 10 palos para paleta, coloreados • Pelotitas de colores

1 En un procesador de alimentos coloca la mantequilla, el azúcar, las harinas y la mezcla para costra. Procesa durante 30 segundos hasta que la mezcla esté fina y parezca migajas. Añade el huevo y procesa durante 20 segundos más hasta formar una masa suave. Colócala en una superficie enharinada y amasa por 30 segundos. Cubre con plástico adherente y refrigera durante 1 hora.
2 Precalienta el horno a 180°C (moderado). Forra dos charolas para horno con papel encerado. Divide la masa en dos, extiende cada porción hasta que tengan 3 mm de grosor. Con un cortador en forma de estrella de 9 cm corta la masa. Acomoda las estrellas en las charolas y hornea durante 15 minutos o hasta que estén ligeramente doradas. Déjalas enfriar en las charolas, repite el proceso con la masa restante.

3 Coloca ½ cucharadita del chocolate derretido en el lado plano de la mitad de las galletas y une el palo. Coloca el resto de las galletas sobre el chocolate y presiona un poco. Deja que el chocolate se cuaje.

Sumerge diagonalmente cada varita en el chocolate y cúbrela por ambos lados. Espolvorea las pelotitas. Deja que sequen sobre papel para hornear. De manera alternativa, coloca las pelotitas en una bolsa de papel y esparce sobre las varitas. Decora y deja que sequen.

Tostadas de pan con pollo

Tiempo de preparación: 10 minutos • **Tiempo de cocción:** 15 minutos • **Rinde** 32

1 pechuga grande de pollo, picada • 1 huevo • ½ cucharadita de pimienta con limón • 2 cebollas de cambray, picadas • 40g de mantequilla suavizada • 8 rebanadas de pan blanco

1 Precalienta el horno a 180°C (moderado). Forra con papel aluminio dos charolas para horno. En un procesador de alimentos coloca el pollo, el huevo, la pimienta y la cebolla. Procesa durante 30 segundos o hasta que la mezcla esté suave.
2 Unta la mantequilla sobre el pan; unta la mezcla del pollo por el otro lado. Corta las costras y corta cada rebanada en triángulos. Hornea en las charolas durante 15 minutos o hasta que estén doradas y ligeramente esponjadas.

De izquierda a derecha: Pan sicodélico de hadas, Alas de murciélago y Pastelitos de hadas, Varitas de hada, Tostadas de pan con pollo, Tostadas de pan con camarones, Tartas de queso con tocino, Tartas de queso con salmón

Tostadas de camarón: Prepara igual, pero sustituye el pollo con 375 g de camarones pelados y sin vena.

Tartas de queso con tocino

Tiempo de preparación: 30 minutos • **Tiempo de cocción:** 15 minutos • **Rinde** aproximadamente 18

2 hojas de pasta hojaldrada • 2 tiras de tocino, finamente picadas • 1 cebolla pequeña, finamente picada • ½ taza de crema • 1 huevo • ½ cucharadita de mostaza • ½ taza de queso *cheddar*, rallado

1 Precalienta el horno a 180°C (moderado). Con mantequilla derretida o aceite engrasa 12 moldes para tartas pequeñas.
2 Coloca la pasta hojaldrada sobre una superficie enharinada. Corta con un cortador redondo de 7 cm. Coloca los círculos en los moldes, sin encajarlos. Espolvorea el tocino y la cebolla sobre los círculos. En un tazón pequeño mezcla la crema, el huevo y la mostaza. Bate hasta que la mezcla esté suave. Coloca 1 cucharadita de la mezcla en cada círculo. Espolvorea el queso encima. Hornea durante 15 minutos o hasta que estén doradas y crujientes. Sírvelas calientes.

Tartas de queso con salmón: Prepara igual, pero sustituye el tocino con ⅓ de taza de salmón en lata.

Rocky Road

Tiempo de preparación: 10 minutos • **Tiempo de cocción:** 5 minutos • **Rinde** aproximadamente 36 piezas

¼ taza de coco deshidratado • 100g de malvaviscos blancos • 100g de malvaviscos rosas • ½ taza de nueces variadas, sin sal • ¼ taza de cerezas caramelizadas, en mitades • 375g de chocolate oscuro para derretir

1 Con papel aluminio forra la base y los lados de un molde para pastel de 28 x 18 cm. Espolvorea la mitad del coco sobre la base.

2 Corta los malvaviscos por la mitad y acomódalos en el molde, alternados, dejando un pequeño espacio entre ellos. Espolvorea el resto del coco, las nueces y las cerezas en los espacios y en las orillas del molde.

3 Coloca el chocolate en un tazón resistente al fuego. Pon el tazón en baño maría a fuego lento y revuelve hasta que se derrita. Enfría ligeramente. Vierte sobre la mezcla de los malvaviscos. Golpea ligeramente el molde sobre la mesa para que se asiente. Cuando esté firme corta en trozos con un cuchillo filoso.

Garrotes de cavernícola

Tiempo de preparación: 10 minutos + 4 horas para congelar • **Tiempo de cocción:** 5 minutos • **Rinde** 9

3 plátanos grandes, pelados, cortados en 3 • Palos para paletas, cortados a la mitad • 125g de chocolate oscuro, picado • 20g de manteca vegetal • ½ taza de nueces, picadas

1 Con papel aluminio forra una charola para horno de 32 x 28 cm. Encaja una mitad de palo en cada pieza de plátano. Acomódalos en la charola y congela durante 2 horas o hasta que estén firmes.

2 Coloca el chocolate y la manteca en un tazón resistente al fuego. Pon el tazón en baño maría a fuego lento, revuelve hasta que el chocolate se derrita y la mezcla esté suave.

3 Sumerge un plátano a la vez en la mezcla del chocolate, escurre el exceso. Revuelca la mitad de cada plátano en las nueces. Coloca en la charola. Refrigera hasta que el chocolate se endurezca, envuelve en plástico y congela durante 2 horas mínimo. Sirve de inmediato.

Trocitos de plátano congelado: Prepara igual y omite las nueces.

Lodo del pantano

Tiempo de preparación: 20 minutos + 2 horas de refrigeración • **Tiempo de cocción:** - • **Rinde** 8

150g de chocolate oscuro, picado • 4 huevos, separados • 2 cucharadas de azúcar extrafina • 1 cucharadita de ralladura de naranja • ⅓ taza de crema • 1 cucharadita de grenetina • 1 cucharada de jugo de naranja • Chochitos para el topping

1 Coloca el chocolate en un recipiente para horno. Ponlo en baño maría a fuego lento, revuelve el chocolate hasta que se derrita y esté suave. Deja enfriar un poco.

2 Con una batidora eléctrica bate las yemas, el azúcar y la ralladura, en un tazón grande, durante 5 minutos o hasta que la mezcla esté espesa y cremosa. Incorpora la crema y el chocolate derretido.

3 En un tazón pequeño mezcla la grenetina con el jugo. Coloca el tazón en un recipiente con agua caliente hasta que la grenetina se disuelva. Añade a la mezcla del chocolate y bate hasta que se incorporen todos los ingredientes.

4 En un tazón pequeño coloca las claras. Con una batidora eléctrica bate hasta que se formen picos firmes. Añade a la mezcla del chocolate. Con una cuchara de metal revuelve bien. Refrigera durante 2 horas o hasta que cuaje. Espolvorea los chochitos. Sirve con palitos o barras de chocolate.

De izquierda a derecha: Rocky road, Garrotes de cavernícola y Trocitos de plátano congelado, Lodo del pantano, Hamburguesitas, Huevos de dinosaurio, Albóndigas

Huevos de dinosaurio

Tiempo de preparación: 30 minutos
• **Tiempo de cocción:** - • **Rinde** 40

1 taza de chabacanos deshidratados, finamente picados • 1 taza de coco deshidratado • ½ taza de leche condensada azucarada • Coco deshidratado, extra

1 En un tazón mezcla los chabacanos, el coco y la leche, revuelve bien.
2 Forma bolitas pequeñas con 2 cucharadas de la mezcla, repite con el resto. Revuelca las bolitas en el coco extra. Refrigera hasta que se endurezcan.

Albóndigas

Tiempo de preparación: 15 minutos • **Tiempo de cocción:** 10 minutos • **Rinde** aproximadamente 25

375g de carne de res, molida • 1 cebolla pequeña, finamente picada • ½ taza de pan molido fresco • 1 cucharada de puré de tomate • 1 cucharadita de salsa inglesa • 1 huevo, ligeramente batido • 2 cucharadas de aceite

1 En un tazón grande coloca la carne, la cebolla, el pan molido, el puré de tomate, la salsa y el huevo. Mezcla con las manos hasta incorporar bien. Forma las albóndigas con 1 cucharada de la mezcla.
2 En una sartén grande calienta el aceite. Añade las albóndigas y fríelas a fuego medio, agitando a menudo la sartén, durante 10 minutos o hasta que estén cocidas y de color café uniforme. Escurre sobre papel absorbente. Sirve calientes o frías con salsa de tomate.

Hamburguesitas

Tiempo de preparación: 30 minutos • **Tiempo de cocción:** 10 minutos • **Rinde** 10

500g de carne de res, molida • 1 cebolla pequeña, finamente picada • 1 cucharadita de perejil, finamente picado • 1 huevo, ligeramente batido • 1 cucharada de salsa de tomate • ½ cucharadita de pimienta molida • 2 cucharadas de aceite • 10 bollos pequeños, en mitades • 2 tazas de lechuga, finamente picada • 2 jitomates pequeños, en rebanadas delgadas • 5 aros de piña de lata, colados, en mitades • 5 rebanadas de queso, en mitades • Salsa de tomate y de barbecue

1 Coloca la carne, la cebolla, el perejil, el huevo, la salsa de tomate y la pimienta en un tazón grande. Mezcla con las manos hasta incorporar bien. Divide la mezcla en 10 porciones y forma tortitas redondas.
2 En una sartén grande de base gruesa calienta el aceite a fuego medio. Fríe las tortitas durante 5 minutos por lado o hasta que tengan color café. Retira y escurre sobre papel absorbente.
3 Para armar las hamburguesas coloca una tortita en la base de un bollo, coloca encima la lechuga, la rebanada de jitomate, de piña y de queso. Añade las salsas y coloca la otra parte del bollo. Sirve de inmediato.

Rollos de salchicha

Tiempo de preparación: 35 minutos • **Tiempo de cocción:** 25 minutos • **Rinde** 48

1 cucharadita de aceite • 1 cebolla, finamente picada • 500g de salchichas, molidas • 1 taza de pan molido blanco, fresco • 2 cucharadas de salsa de tomate • 1 huevo, ligeramente batido • 3 láminas de pasta hojaldrada • Huevo o leche, para barnizar

1 Precalienta el horno a 210°C (moderadamente caliente). Engrasa ligeramente una charola para hornear.
2 En una sartén grande calienta el aceite, añade la cebolla y fríe, a fuego lento, hasta que esté suave y transparente. En un tazón mezcla la cebolla, las salchichas, el pan, la salsa de tomate y el huevo.
3 En una superficie ligeramente enharinada pon las láminas de pasta hojaldrada y córtalas diagonalmente en tres piezas. Divide la mezcla de las salchichas en seis porciones iguales y coloca cada una en el extremo largo de cada lámina. Enrolla en forma de salchicha. Barniza ligeramente con un poco de leche o huevo batido. Corta los rollos en trozos de 4 cm y colócalos en la charola.
4 Hornea durante 10 minutos, baja la intensidad a 180°C y hornea 15 minutos más hasta que los rollos estén dorados. Sirve con salsa de tomate.

Nota: Puedes congelarlos hasta dos semanas antes de servirlos. Descongela y calienta en el horno a 180°C (moderado) durante 30 minutos.

Botes de queso con elote

Tiempo de preparación: 25 minutos • **Tiempo de cocción:** 10 minutos • **Rinde** 24

40g de mantequilla • 1 cucharada de harina • ½ taza de leche • ¼ taza de queso *cheddar*, rallado • ¼ cucharadita de caldo de pollo en polvo • 130g de granos de elote de lata, colados • Pimienta molida • 24 volovanes • 24 palitos de pretzels, en mitades

1 En una sartén mediana calienta la mantequilla, añade la harina. Revuelve a fuego lento durante 1 minuto. Gradualmente añade la leche, revolviendo, hasta que esté suave. Aumenta a fuego medio y revuelve constantemente durante 5 minutos o hasta que la mezcla hierva y se espese. Hierve durante 1 minuto más, retira del fuego. Añade el queso, el caldo en polvo, los elotes y la pimienta.
3 Coloca 3 cucharaditas de la mezcla en cada volován. Coloca los pretzels como remos. Sírvelos calientes.

Cráteres lunares: los Botes de queso con elote pueden convertirse en "Cráteres lunares" para la fiesta del Espacio exterior si omites los pretzels.

Galletas de piratas

Tiempo de preparación: 15 minutos • **Tiempo de cocción:** - • **Rinde** 30

2 tazas de azúcar glas • 1-2 cucharadas de agua • 250g de galletas redondas grandes • 2-3 gotas de colorante vegetal amarillo • 30 gomitas pequeñas • 15 discos de chocolate, en mitades • 5 gomitas de víbora, rebanadas • 4 tiras de regaliz, picadas • ½ taza de grageas de chocolate

1 En un tazón pequeño mezcla el azúcar y el agua. Coloca el tazón en baño maría a fuego lento, revuelve hasta que esté suave. Pinta con el colorante. Unta uniformemente el glaseado en las galletas.

2 Con el glaseado húmedo haz las caras de los piratas, usa las gomitas para los ojos, medio disco de chocolate para el parche, los trozos de víbora para la boca, el regaliz para las cicatrices y las grajeas para el pelo. Refrigera hasta usarlas.

Caras punk: Usa grajeas verdes para el pelo e inclina las cejas para cambiar la expresión.

Galletas marcianas

Tiempo de preparación: 15 minutos + 30 minutos para refrigerar • **Tiempo de cocción:** 15 minutos • **Rinde** 24

25g de mantequilla • ½ taza de azúcar extrafina • 1 huevo • 1 ¾ taza de harina • 1 taza de azúcar glas • 3 cucharadas de agua caliente • 4 gotas de colorante vegetal verde • 1 paquete de regaliz surtido, finamente rebanado

1 Con una batidora eléctrica bate la mantequilla, el azúcar y el huevo en un tazón mediano hasta que esté ligera y cremosa.

2 Agrega la harina a la mezcla. Con las manos revuelve hasta integrar todos los ingredientes. Coloca la masa sobre una superficie ligeramente enharinada, amasa durante 2 minutos o hasta que esté suave. Cubre con plástico adherente y refrigera durante 30 minutos.

3 Precalienta el horno a 180°C (moderado). Con aceite o mantequilla derretida barniza una charola para hornear de 32 x 28 cm. Coloca la masa entre dos láminas de papel encerado y extiéndela hasta que tenga 5 mm de grosor. Con un cortador para muñecos de jengibre de 8 cm corta la masa. Coloca sobre la charola y hornea durante 15 minutos o hasta que estén doradas. Deja enfriar sobre una rejilla.

4 Coloca el azúcar glas en un tazón mediano. Añade el agua y el colorante, revuelve para mezclar bien. Sumerge el frente de cada galleta en el glaseado y escurre el exceso. Mientras el glaseado esté suave decora con el regaliz. Puedes prepararlas con 7 días de antelación y guardarlas en un recipiente hermético.

Discos galácticos

Tiempo de preparación: 10 minutos • **Tiempo de cocción:** 15 minutos • **Rinde** 12

12 galletas pequeñas redondas • 12 malvaviscos grandes, blancos • 20g de mantequilla • Dulces para decorar

1 Acomoda 12 capacillos en una charola para 12 tartas pequeñas. Coloca una galleta en cada uno.

2 En un recipiente para horno agrega los malvaviscos y la mantequilla; pon el recipiente en baño maría a fuego lento y revuelve hasta que la mezcla esté suave.

3 Coloca la mezcla sobre las galletas y decora con los dulces. Refrigera hasta que se endurezca.

Meteoritos

Tiempo de preparación: 10 minutos • **Tiempo de cocción:** 50 minutos • **Rinde** 12

8 papas pequeñas • ¼ taza de crema agria • 20g de mantequilla • 1 huevo • 1 cucharada de mayonesa • 1 cucharada de cebollín, picado • 3 tiras de tocino, picadas • ½ taza de queso *cheddar*, rallado • Cebollín extra, para decorar

1 Precalienta el horno a 180°C (moderado). Envuelve las papas en papel aluminio. Hornea de 30 a 40 minutos o hasta que estén suaves.

2 Corta las papas en mitades, ahuécalas y deja las paredes gruesas. Reserva la pulpa de la papa. En un tazón pequeño mezcla la crema, la mantequilla, el huevo, la mayonesa, el cebollín, el tocino y la pulpa de la papa; revuelve bien. Rellena las papas con la mezcla y colócalas en una charola para horno.

3 Espolvorea con queso y hornea durante 10 minutos o hasta que el queso se haya derretido. Decora con el cebollín extra.

De izquierda a derecha: Rollos de salchicha, Botes de queso con elote, Cráteres lunares, Galletas de piratas, Caras punk, Galletas marcianas, Discos galácticos, Meteoritos

Galle-rocas

Tiempo de preparación: 10 minutos
• **Tiempo de cocción:** 15 minutos • **Rinde** 18

2 tazas de harina con 1 cucharadita de polvo para hornear • 1 cucharadita de especias mixtas • 90g de mantequilla, picada • ½ taza de azúcar • ¼ taza de pasitas • 2 cucharadas de fruta caramelizada • 1 huevo • ⅓ taza de leche • ¼ taza de azúcar, extra

1 Precalienta el horno a 180°C (moderado). Forra dos charolas para hornear con papel encerado. En un tazón cierne la harina y las especias. Agrega el azúcar y la mantequilla. Con los dedos frota la mantequilla hasta que forme migajas gruesas.

2 Incorpora las pasitas y la fruta. Haz un pozo en el centro. Añade el huevo revuelto con la leche y mezcla hasta formar una masa suave.

3 Coloca cucharadas de la mezcla en la charola, deja espacio para que aumenten su tamaño. Espolvorea ligeramente con el azúcar extra y hornea de 10 a 15 minutos o hasta que estén doradas.

Ovnis

Tiempo de preparación: 20 minutos + 30 minutos para refrigerar • **Tiempo de cocción:** 20 minutos • **Rinde** 24

½ taza de harina • 40g de mantequilla, picada • 1 cucharada de azúcar • 1 cucharada de agua • 2 cucharadas de mezcla para costra de pay • 1 cucharada de azúcar, extra • ¾ taza de leche • 12 fresas pequeñas, en mitades • 2 cucharadas de puré de manzana para bebés (ver Nota)

1 Engrasa dos charolas con 12 moldes para tartas pequeñas. En un tazón cierne la harina, añade la mantequilla. Con los dedos frota la mantequilla con la harina hasta que forme migajas. Agrega el azúcar y mezcla. Agrega casi toda el agua y revuelve hasta formar una masa firme, añade más agua si es necesario. Coloca la masa sobre una superficie ligeramente enharinada y amasa durante 2 minutos o hasta que esté suave. Cubre la masa con plástico adherente y refrigera durante 30 minutos.

2 Precalienta el horno a 180°C (moderado). Coloca la masa entre dos láminas de papel encerado y extiéndela hasta que tenga un grosor de 2 mm; con un cortador de 5 cm corta círculos. Presiona los círculos contra los moldes para tortas. Hornea durante 5 minutos o hasta que estén dorados. Deja enfriar.

3 En una sartén pequeña incorpora la mezcla para costra de pay y el azúcar, añade suficiente leche para formar una pasta suave. Incorpora el resto de la leche, revuelve a fuego lento hasta que la pasta hierva y se espese. Reserva para dejar enfriar. Cuando esté fría agrega una cucharada de la pasta en cada molde. Coloca encima media fresa y barniza con el puré de manzana.

Nota: Puedes encontrar el puré de manzana en la sección de bebés del supermercado.

Meteoro-conos de helado

Tiempo de preparación: 20 minutos
• **Tiempo de cocción:** 5 minutos • **Rinde** 8

500ml de helado de vainilla • 8 conos de base redonda para helado • 200g de lunetas pequeñas, para decorar • 150g de chocolate oscuro, derretido

1 En cada cono coloca 2 bolas de helado, presiónalas firmemente. Fija las lunetas contra el helado. Coloca los conos en el refrigerador durante 10 minutos para en-

durecer el helado. Uno a uno sumerge el helado en el chocolate derretido. Escurre el exceso y deja que seque.
Sapos: Coloca el helado en los conos y presiónalo firmemente, deja los conos en el congelador durante 10 minutos. Uno a uno sumerge el helado en el chocolate y escurre el exceso; presiona lunetas contra el chocolate y deja que se seque.

Rocas de chocolate

Tiempo de preparación: 20 minutos
• **Tiempo de cocción:** 5 minutos • **Rinde** 24

3 tazas de arroz inflado de chocolate • ¼ taza de cocoa en polvo • 1 ¼ tazas de azúcar glas • ½ taza de pasitas • ¾ taza de coco deshidratado • 200g de manteca vegetal blanca, derretida • ⅓ taza de chispas de chocolate oscuro

1 Forra dos charolas de 12 moldes para tartas pequeñas con papel aluminio. En un tazón grande mezcla el arroz inflado, la cocoa y el azúcar, revuelve bien e incorpora las pasitas y el coco. Añade la manteca.
2 Coloca la mezcla en los moldes. Espolvorea las chispas de chocolate. Deja que se sequen.

Dedos de plátano, nueces y dátiles

Tiempo de preparación: 10 minutos
• **Tiempo de cocción:** - • **Rinde** 18

20g de mantequilla • 12 rebanadas de pan blanco • 3 plátanos medianos, machacados • 6 dátiles frescos, picados • 1 taza de nueces, picadas

1 Unta la mantequilla en los panes.
2 Unta el plátano en 6 rebanadas de pan, coloca encima los dátiles y las nueces. Tapa con la otra rebanada.
3 Con un cuchillo filoso quita las costras y corta cada sándwich en 3 dedos.

Izquierda a derecha: Galle-rocas, Ovnis, Meteoro-conos de helado, Sapos, Rocas de chocolate, Dedos de plátano, nueces y dátiles, Jorobas de camello, Arena del desierto y Polvo de estrellas

Jorobas de camello

Tiempo de preparación: 15 minutos
• **Tiempo de cocción:** - • **Rinde** 10

100g de caramelo, derretido • 100g de galletas de arrurruz • 20 malvaviscos blancos, pequeños • ¾ taza de coco deshidratado

1 Unta un poco de caramelo en cada galleta. Antes de que seque coloca dos malvaviscos, juntos, en cada una. Deja que se seque.
2 Sumerge las galletas en el resto del caramelo para cubrir los malvaviscos y la parte superior de las galletas. Espolvorea el coco y deja secar.

Arena del desierto

Tiempo de preparación: 15 minutos
• **Tiempo de cocción:** - • **Rinde** 10

3 tazas de azúcar glas • 1 cucharadita de colorante vegetal amarillo • 50g de dulces Fruit Tingles • ¼ cucharadita de bicarbonato de sodio

1 En una bolsa grande para congelar coloca el azúcar con unas gotas del colorante, agita fuertemente hasta que el azúcar tenga un color uniforme. Reserva en un tazón grande.
2 Coloca los Fruit Tingles en un procesador de alimentos y procesa hasta picar finamente. Incorpóralos con el azúcar y añade el bicarbonato, revuelve bien.
Polvo de estrellas: Prepara igual, pero sustituye el colorante amarillo por colorante rosa.

Mini pizzas

Tiempo de preparación: 40 minutos
• **Tiempo de cocción:** 10 minutos • **Rinde** 40

2 tazas de harina con 1 cucharadita de polvo para hornear • 100g de mantequilla, picada • ½ taza de suero de leche • 2 cucharadas de puré de tomate • 40 rodajas finas de salami • 1 cebolla pequeña, finamente rebanada • 10 jitomates cherry, finamente rebanados • 6 rebanadas de queso cortados en círculos de 3 cm

1 Precalienta el horno a 180°C (moderado). Forra dos charolas para horno de 32 x 28 con papel aluminio. Barniza con aceite o mantequilla derretida.

2 En un procesador de alimentos mezcla la harina y la mantequilla durante 30 segundos o hasta que la mezcla forme migajas finas. Añade el suero de leche, procesa durante 30 segundos o hasta que la mezcla se una. Sobre una superficie ligeramente enharinada amasa un poco hasta que esté suave. Extiende hasta que tenga un grosor de 3 mm. Con un cortador de 5 cm corta círculos y colócalos en las charolas preparadas.

3 Unta los círculos con el puré de tomate. Acomoda encima el salami, la cebolla y el jitomate, espolvorea el queso. Hornea durante 10 minutos o hasta que estén crujientes. Decora con hojas de orégano, opcional.

Animales crujientes

Tiempo de preparación: 10 minutos
• **Tiempo de cocción:** 15 minutos • **Rinde** 20

1 lámina de pasta hojaldrada • 1 huevo, ligeramente batido • ¼ taza de queso *cheddar*, rallado • 1 cucharadita de semillas de amapola • 1 cucharada de hojuelas de cebolla

1 Precalienta el horno a 180°C. Forra con papel encerado una charola para horno. Con cortadores para galleta corta figuras de animales en la pasta hojaldrada, colócalas en la charola. Barniza con el huevo. Espolvorea con el queso, las semillas y las hojuelas. Hornea de 10 a 15 minutos o hasta que estén doradas y crujientes.

Estrellas crujientes: Con cortadores para galleta o un cuchillo filoso corta la pasta en figuras de estrellas y lunas.

Nuggets de pollo

Tiempo de preparación: 20 minutos
• **Tiempo de cocción:** 15 minutos • **Rinde** 34

375g de filetes de muslo de pollo, picados grueso • 1 huevo • 1 cucharada de cebollín fresco, picado • ¼ cucharadita de aceite de ajonjolí • 2 cucharadas de salsa de ciruela • 1 cucharadita de salsa de soya • 1 taza de hojuelas de maíz

1 Precalienta el horno a 180°C (moderado). Forra una charola para horno de 32 x 28 cm con papel aluminio. Barniza con mantequilla derretida o aceite.

2 En un procesador de alimentos coloca el pollo, el huevo, el cebollín, el aceite y las salsas, procesa durante 30 segundos o hasta que la mezcla esté suave.

3 Toma cucharaditas copeteadas de la mezcla y forma los nuggets, revuelca en las hojuelas. Coloca los nuggets en la charola. Hornea durante 15 minutos o hasta que estén dorados y crujientes.

Sándwiches cebra

Tiempo de preparación: 10 minutos
• **Tiempo de cocción:** - • **Rinde** 8

4 rebanadas de pan blanco • 20g de mantequilla • 1 cucharada de extracto de levadura o crema de avellana para untar

1 Unta 3 rebanadas de pan con mantequilla y extracto de levadura o avellana. Apila las rebanadas con el lado untado hacia arriba. Coloca encima la rebanada extra. Presiona un poco.

2 Con un cuchillo filoso corta las costras. Corta el pan por la mitad para obtener rectángulos y cada rectángulo en cuatro dedos.

Consejo: Puedes usar cortadores de galletas con forma de animales para cortar los sándwiches.

Heno de chocolate

Tiempo de preparación: 30 minutos
• **Tiempo de cocción:** 10 minutos • **Rinde** 40

2 tazas de azúcar • ⅓ taza de cocoa en polvo • ½ tazas de leche • 125g de mantequilla, picada • 3 tazas de copos de avena • 1 ½ tazas de coco, rallado

1 En una sartén grande de base gruesa mezcla el azúcar y la cocoa. Añade la leche y la mantequilla. Revuelve a fuego lento, sin que hierva, hasta que la mantequilla se derrita y el azúcar se disuelva completamente. Deja que suelte el hervor revolviendo constantemente, retira del fuego de inmediato. Añade los copos de avena y el coco, revuelve bien.

2 Rápidamente coloca cucharadas copeteadas de la mezcla sobre papel encerado. Deja que sequen. Guarda en un recipiente hermético en un lugar fresco y seco hasta usarlas.

Consejo: Para manejarla más fácilmente coloca la mezcla caliente en capacillos.

Figuras de fruta

Tiempo de preparación: 15 minutos + refrigeración toda la noche • **Tiempo de cocción:** 5 minutos • **Rinde** 6-8

2 tazas de jugo de naranja • 2 cucharadas de azúcar • ¼ taza de grenetina

1 Forra la base y los lados de un molde para pastel de 18 x 28 cm con papel aluminio. Barniza con aceite.

2 Mezcla el jugo y el azúcar en una sartén mediana de base gruesa. Espolvorea la grenetina sobre el jarabe. Revuelve a fuego lento, sin que hierva, hasta que el azúcar y la grenetina se hayan disuelto. Deja que suelte el hervor, conserva en el fuego 1 minuto. Vierte la mezcla en el molde, cuela si está grumosa. Refrigera durante toda la noche.

3 Desmolda la gelatina. Corta en varias figuras con cortadores de galletas. Refrigera hasta servir.

Consejo: Para tener más colorido usa jugos de limón, de naranja y de grosella.

Comida para animales

Tiempo de preparación: 5 minutos
• **Tiempo de cocción:** - • **Rinde** 10

1 taza de galletas de arroz • 1 taza de plátano deshidratado • 1 taza de coco deshidratado o en hojuelas • 1 taza de pasitas • 2 tazas de muesli, tostado o granola • 4 tazas de palomitas de maíz, frescas • 1 taza de semillas de girasol o de calabaza

1 En un tazón grande coloca todos los ingredientes y revuelve bien. Coloca en bolsas individuales como regalo para llevar a casa o en recipientes para servir.

Izquierda a derecha: Mini pizzas, Animales crujientes, Nuggets de pollo, Sándwiches cebra, Heno de chocolate, Figuras de fruta, Comida para animales

De izquierda a derecha: Nuggets de pescado, Salvavidas, Submarinos hundidos, Hamburguesas del pescador, Barras esponjosas, Perlas de palomitas, Parfait soleado

Nuggets de pescado

Tiempo de preparación: 20 minutos
• **Tiempo de cocción:** 15 minutos • **Rinde** 24

250g de filetes de pescado blanco • 2 cucharadas de harina • 1 clara de huevo • ¼ taza de hojuelas de maíz, molidas • Mayonesa

1 Precalienta el horno a 180°C (moderado). Corta el pescado en cubos de 3 cm. Revuelca en la harina y quita el exceso.
2 En un tazón pequeño bate el huevo. Sumerge el pescado, pieza por pieza, y luego revuélcalo en las hojuelas. Coloca sobre una charola para horno en una sola capa. Hornea durante 15 minutos o hasta que los nuggets estén dorados, voltéalos después de los primeros 10 minutos. Sírvelos calientes con mayonesa.

Salvavidas

Tiempo de preparación: 25 minutos
• **Tiempo de cocción:** 30 minutos • **Rinde** 5

2 claras de huevo • ½ taza de azúcar extrafina • ¼ taza de crema espesa, batida • Mermelada de frambuesa, para untar • 1 listón rojo, fino

1 Precalienta el horno a 150°C (bajo). Con papel encerado forra dos charolas para hornear. Usa un plato para dibujar círculos de 5 cm en cada papel.
2 Con una batidora eléctrica bate las claras hasta que formen picos suaves. Añade el azúcar, una cucharada a la vez, y bate bien después de cada adición hasta que la mezcla esté espesa y brillante y el azúcar se haya disuelto. Coloca el merengue en una duya con una boquilla plana y dibuja el contorno interior de los círculos. Hornea de 20 a 30 minutos o hasta que el merengue esté pálido y seco. Apaga el horno, deja enfriar los merengues con la puerta entreabierta.
3 Cuando casi vayas a servir, coloca un merengue encima del otro y únelos con la mermelada y la crema. Pasa el listón por el centro y haz un moño.

Submarinos hundidos

Tiempo de preparación: 10 minutos
• **Tiempo de cocción:** 15 minutos • **Rinde** 8

4 panes para hot-dog • 20g de mantequilla • 1 diente de ajo, machacado • 440g de espagueti en salsa de tomate y queso • 80g de jamón, en rebanadas, picado • 100g de queso *cheddar*, en rebanadas, cortado en tiras

1 Precalienta el horno a 180°C (moderado). Engrasa ligeramente una charola para hornear. Corta los panes a la mitad horizontalmente, acomódalos en la charola
2 En una sartén calienta la mantequilla, añade el ajo y cuece de 2 a 3 minutos. Barniza los panes con un poco de la mantequilla, coloca encima el espagueti, el jamón y el queso. Hornea durante 12 minutos o hasta que el queso se derrita y el pan esté crujiente.

Hamburguesas del pescador

Tiempo de preparación: 15 minutos
• **Tiempo de cocción:** 15 minutos • **Rinde** 6

6 dedos de pescado • 3 tiras de tocino, cortadas a la mitad • 6 hojas de lechuga pequeñas • 6 bollos pequeños, cortados a la mitad • 3 rebanadas de queso, cortadas a la mitad • 6 cucharaditas de mayonesa

1 Precalienta el horno a 180°C (moderado). Envuelve cada dedo de pescado en una tira de tocino. Acomoda en una charola y hornea durante 15 minutos.
2 Para armar las hamburguesas coloca una hoja de lechuga en la base de cada bollo. Agrega el queso encima, el dedo de pescado y una cucharadita de mayonesa. Tapa con la otra mitad del pan.

Barras esponjosas

Tiempo de preparación: 20 minutos + 1-2 horas para endurecer • **Tiempo de cocción:** 5 minutos • **Rinde** 24

1 ½ tazas de malvaviscos • 60g de mantequilla • 2 ½ tazas de arroz inflado • ½ taza de chochitos

1 Forra un molde de 18 x 28 cm con papel encerado o aluminio, engrasa ligeramente. En una sartén coloca los malvaviscos y la mantequilla. Revuelve a fuego lento hasta que se hayan derretido. Retira del fuego.
2 Coloca el arroz inflado y los chochitos en un tazón grande. Vierte encima la mezcla de los malvaviscos y revuelve bien.
3 Pasa la mezcla al molde, alisa la superficie. Deja enfriar y que se endurezca. Cuando esté frío, corta en barras.

Perlas de palomitas

Tiempo de preparación: 1 hora • **Tiempo de cocción:** 30 minutos • **Rinde** 10

⅓ taza de aceite vegetal • 1 taza de maíz para palomitas • 1 taza de azúcar • 1 cucharada de miel • 1 cucharada de jarabe dorado • ½ taza de agua • 60g de mantequilla

1 En una sartén grande calienta el aceite, añade el maíz y coloca la tapa de la sartén. Cuece a fuego medio agitando la sartén ocasionalmente. Cuando dejen de reventar las palomitas quita la tapa y colócalas en un tazón grande, desecha el maíz que no haya reventado.
2 En una sartén grande de base gruesa mezcla el azúcar, la miel, el jarabe, el agua y la mantequilla, hierve a fuego lento, revolviendo hasta que el azúcar se disuelva. Con una brocha mojada raspa el azúcar de las paredes de la sartén. Asegúrate de que todo el azúcar se disuelva antes de que la mezcla hierva. Deja en el fuego hasta que la temperatura de la mezcla sea de 150°C. Si no tienes un termómetro para azúcar, deja caer una pequeña cantidad de la mezcla en agua muy fría, debe estar dura y quebradiza.
3 Vierte el caramelo sobre las palomitas y mezcla para cubrir bien. Continúa revolviendo hasta que la mezcla se endurezca y se enfríe un poco. Coloca sobre una charola grande para enfriar. Corta doce tramos de cordón grueso de 50 cm de largo. Con una aguja gruesa ensarta las palomitas para formar collares. Amarra ambos extremos.

Parfait soleado

Tiempo de preparación: 30 minutos • **Tiempo de cocción:** 5 minutos • **Rinde** 6

2 cucharadas de mezcla para costra para pay • ¼ taza de azúcar extrafina • 1 ½ tazas de leche • ½ taza de crema • 1 yema de huevo • 1 cucharadita de esencia de vainilla • 1 paquete de gelatina de naranja o durazno • 2 tazas de agua hirviendo • 1 taza (200g) de duraznos de lata, rebanados • Crema batida y trozos de naranja y kiwi, para servir

1 En una sartén mediana de base gruesa coloca la mezcla para costra para pay y el azúcar. Incorpora gradualmente la leche mezclada con la crema. Revuelve a fuego lento durante 5 minutos o hasta que la mezcla espese y hierva. Retira del fuego. Incorpora la yema y la esencia de vainilla. Coloca la mezcla en copas. Refrigera hasta que estén firmes.
2 En un recipiente mezcla la gelatina y el agua hirviendo, revuelve hasta que la gelatina se disuelva. Reserva hasta que esté a temperatura ambiente.
3 Acomoda las rebanadas de durazno sobre la costra, coloca encima la gelatina fría y refrigera. Justo antes de servir decora con crema batida y fruta.

Gelatinas playeras

Tiempo de preparación: 20 minutos + refrigeración durante toda la noche • **Tiempo de cocción:** - • **Rinde 12**

85g de polvo para gelatina de limón • 2 tazas de agua hirviendo • 2 cucharadas de galletas, desmenuzadas • 12 muñecos de goma • 12 sombrillas de papel

1 Coloca capacillos dobles en una charola con 12 moldes para cupcake.
2 En un recipiente mezcla la gelatina en polvo y el agua, revuelve hasta que se disuelva, deja enfriar. Vierte la gelatina en los moldes hasta llenar tres cuartos. Refrigera durante toda la noche.
3 Espolvorea las galletas sobre la mitad de cada gelatina. Coloca el muñeco sobre las galletas. Pon un caramelo salvavidas en el otro lado de la gelatina y encaja la sombrilla en el centro.

Ruedas de jamón y piña

Tiempo de preparación: 25 minutos • **Tiempo de cocción:** 15 minutos • **Rinde** aproximadamente 30

2 láminas de pasta hojaldrada • 1 huevo, ligeramente batido • 100g de jamón, en rebanadas finas • 150g de piña de lata, machacada, bien colada • ⅓ taza de queso *cheddar*, rallado

1 Precalienta el horno a 180°C. Con papel aluminio forra dos charolas de 32 x 28 cm para hornear. Barniza con mantequilla derretida o aceite.
2 Extiende la pasta y barnízala con el huevo. Esparce uniformemente el jamón, la piña y el queso. Presiona un poco contra la pasta.
3 Enrolla ajustadamente cada rollo. Con un cuchillo filoso y plano o con uno eléctrico corta cada rollo en 10 piezas. Coloca las ruedas en las charolas, separadas para que se expandan. Hornea durante 15 minutos o hasta que estén doradas e infladas. Sirve caliente.

Izquierda a derecha: Ruedas de jamón y piña, Brownies congelados, Brownies crujientes, Helada de coco, Muñeco de nieve

Brownies congelados

Tiempo de preparación: 35 minutos • **Tiempo de cocción:** 30 minutos • **Rinde** aproximadamente 25

1 taza de harina • ½ taza de cocoa en polvo • ½ cucharadita de polvo para hornear • ¼ cucharadita de sal • 125g de mantequilla, suavizada • 1 ½ tazas de azúcar moscabado fina • 3 huevos • 1 cucharadita de esencia de vainilla • ½ taza de cacahuates, sin sal, picados • 60g de mantequilla • 1 taza de azúcar glas, cernida • ¼ taza de crema de cacahuate • 1 cucharada de agua hirviendo

1 Precalienta el horno a 180°C (moderado). Engrasa un molde para hornear de 28 x 18 cm. En un tazón cierne la harina, la cocoa, el polvo para hornear y la sal. En otro tazón bate, con batidora eléctrica, la mantequilla y el azúcar hasta que estén ligeras y cremosas. Añade los huevos y la vainilla, bate bien. Con una cuchara de metal incorpora los ingredientes secos y los cacahuates. Revuelve bien.
2 Coloca la mezcla en el molde. Hornea durante 30 minutos o hasta que un palillo salga limpio al encajarlo en el centro. Deja enfriar en el molde. Cuando estén fríos unta el glaseado.
3 Bate la mantequilla y el azúcar hasta que la mezcla esté cremosa. Mezcla la crema de cacahuate con el agua e incorpórala a la mezcla hasta que esté suave. Unta uniformemente en los brownies.

Brownies crujientes: Prepara la base para los brownies. Omite la crema de cacahuate del topping y sustituye con 2 cucharadas de cocoa en polvo. Espolvorea los brownies glaseados con ⅓ de taza de arroz inflado con chocolate.

Helada de coco

Tiempo de preparación: 30 minutos + 1 hora para refrigerar • **Tiempo de cocción:** - • **Rinde** 30 piezas

2 ½ tazas de azúcar glas • ¼ cucharadita de cremor tártaro • 1 clara de huevo, ligeramente batida • ¼ taza de leche condensada • 1 ¾ tazas de coco deshidratado • Colorante vegetal rosa

1 Con mantequilla derretida o aceite barniza un molde de 26 x 8 x 4.5 cm. Forra la base con papel encerado, engrasa el papel.

2 Cierne el azúcar y el cremor tártaro en un tazón, haz un pozo en el centro. Añade la clara mezclada con la leche condensada. Con una cuchara de madera incorpora la mitad del coco. Agrega el resto y revuelve bien. Divide la mezcla en dos tazones. Pinta la mezcla de un tazón con colorante rosa, amasa para que tome un color uniforme.

3 Presiona la mezcla rosa contra la base del molde, cubre con la mezcla sin pintar y presiona ligeramente. Refrigera durante 1 hora o hasta que cuaje. Cuando esté firme desmolda y corta en cuadros. Puedes guardarlo en un recipiente hermético hasta dos semanas en un lugar fresco y seco.

Muñeco de nieve

Tiempo de preparación: 30 minutos + 30 minutos para congelar • **Tiempo de cocción:** - • **Rinde** 10

1 litro de helado de vainilla • 10 malvaviscos rosas • ¾ taza de coco deshidratado • 10 tiras finas de regaliz • 20 lunetas • 4 cerezas caramelizadas, cortadas en cuartos

1 Con una cuchara grande para helado coloca 10 bolas del helado sobre una charola plana. Con una cuchara más pequeña saca otras 10 bolas. Coloca las pequeñas sobre las bolas grandes. Refrigera durante 30 minutos para que estén muy firmes. Corta los malvaviscos en forma de sombrero.

2 Saca el helado del congelador, revuelca en el coco y coloca el malvavisco encima. Adorna con un regaliz alrededor del cuello para hacer la bufanda. Usa las lunetas para los ojos y las cerezas para la boca. Devuelve al congelador hasta servir.

De izquierda a derecha: Guacamole con totopos, Hot cakes de miedo y de payasos, Nachos para niños, Rodajas de papas, Trampas para ratón, Elotes con mantequilla, Paletas de vainilla con fresa

Elotes con mantequilla

Tiempo de preparación: 5 minutos
• **Tiempo de cocción:** 10 minutos • **Rinde** 10

**3 mazorcas de elote amarillo • 125g de mantequilla •
Sal y pimienta molida, al gusto**

1 Quita las hojas y el cabello de los elotes. Corta las mazorcas por la mitad, coloca unas cuantas en una cacerola grande con agua. Deja que suelte el hervor y cuece de 8 a 10 minutos o hasta que estén suaves.
2 Retira el agua. Coloca 1-2 cucharaditas de mantequilla sobre cada pieza. Sazona con sal y pimienta.

Nachos para niños

Tiempo de preparación: 15 minutos
• **Tiempo de cocción:** 10 minutos • **Rinde** 6-8

**210g de frijoles rojos de lata, enjuagados y colados
• 150g de totopos • 1 taza de queso *cheddar*, rallado
• 2 jitomates medianos, finamente picados
• 2 cucharadas de cebollas de cambray, finamente picadas**

1 Precalienta el horno a 180°C (moderado). Forra con papel aluminio una charola para hornear.
2 Acomoda los totopos en una sola capa en la charola. Espolvorea el queso, los frijoles y los jitomates. Hornea durante 10 minutos o hasta que el queso se haya derretido y esté dorado. Coloca encima la cebolla, deja enfriar un poco antes de servir.

Guacamole con totopos

Tiempo de preparación: 10 minutos
• **Tiempo de cocción:** - • **Porciones** 10

2 aguacates, maduros • 2-3 cucharadas de jugo de limón • 1 diente de ajo, machacado • ½ cebolla, finamente picada • 2 jitomates pequeños, finamente picados • ½ taza de crema agria • Unas gotas de salsa Tabasco • 100g de totopos

1 Machaca los aguacates hasta que estén suaves. Incorpora el jugo de limón, el ajo, la cebolla, los jitomates, la crema y la salsa. Coloca en un tazón para servir y acompaña con los totopos.

Rodajas de papas

Tiempo de preparación: 10 minutos • **Tiempo de cocción:** 20 minutos • **Porciones** 10

**8 papas grandes • 1 cucharada de aceite
• 1 cucharadita de sazonador con sal**

1 Precalienta el horno a 210°C (moderadamente caliente). Barniza con aceite una charola para hornear. Corta cada papa en 6 a 8 rodajas y colócalas en la charola. Barniza con el aceite y espolvorea el sazonador. Hornea durante 20 minutos o hasta que estén doradas.

Hot cakes de miedo

Tiempo de preparación: 20 minutos
• **Tiempo de cocción:** 30 minutos • **Rinde** 24

220g de mezcla para preparar hot cakes • 60g de chocolate oscuro, picado • 50g de mantequilla

1 Prepara la masa para los hot cakes siguiendo las instrucciones del paquete. Deja reposar durante 10 minutos.
2 Coloca el chocolate en un recipiente pequeño para horno y ponlo en baño maría a fuego lento. Revuelve hasta que el chocolate se derrita y esté suave. Coloca el chocolate en una duya (ver Nota).
3 En una sartén grande de base gruesa calienta una pequeña porción de mantequilla a fuego medio. Con el chocolate dibuja una cara aterradora en la base de la sartén. Agrega una cucharada de la mezcla sobre la cara. Cuece hasta que se formen burbujas en la superficie (tarda aproximadamente 30 segundos), voltea y cuece por el otro lado.
4 Retira del fuego, repite con el resto del chocolate y la mezcla. Sirve calientes o fríos.
Nota: Para hacer una duya corta un cuadrado de 25 cm de papel encerado. Dóblalo a la mitad para tener un triángulo. Enrolla para formar un cono. Inserta el lado largo dentro del cono. Corta un poco la punta del otro lado.
Hot cakes de payasos: Dibuja caras sonrientes de payasos con el chocolate para la Fiesta del Circo.

Trampas para ratón

Tiempo de preparación: 15 minutos
• **Tiempo de cocción:** 5 minutos • **Rinde** 10

10 rebanadas de pan • 60g de mantequilla, suavizada • 10 rebanadas de jamón, para sándwich • 250g de queso *cheddar*, finamente rallado • ¼ taza de salsa de tomate

1 Precalienta la parrilla a intensidad alta. Tuesta el pan un poco por ambos lados, unta mantequilla por un lado. coloca una rebanada de jamón en cada pieza y agrega con el queso. Añade dos cucharadas de la salsa en el centro de cada pan.
2 Coloca el pan en la parrilla de 1 a 2 minutos o hasta que el queso se derrita y la salsa se esparza un poco. Sírvelos calientes.

Paletas de vainilla con fresa

Tiempo de preparación: 30 minutos + 6 horas para congelar • **Tiempo de cocción:** - • **Rinde** 8

1 litro de helado de vainilla • 50g de gotas o chispas de chocolate, o chocolate picado • ¼ taza de jarabe de chocolate • 250g de fresas, sin tallo, picadas • ¼ taza de jarabe de fresa • 100g de malvaviscos rosas y blancos • 8 palos para paleta

1 Deja el helado a temperatura ambiente hasta que esté suave pero todavía congelado; reparte en 3 tazones grandes. En el primero incorpora el chocolate y el jarabe de chocolate. Divide la mezcla en 8 tazas forradas con papel encerado y mételas en el congelador.
2 Añade las fresas y el jarabe de fresa al segundo recipiente. Coloca uniformemente en las copas sobre la mezcla del chocolate. Devuelve al congelador de 2 a 3 horas hasta que estén firmes
3 Mezcla los malvaviscos en el tercer tazón y coloca sobre la mezcla de la fresa. Encaja un palo atravesando las tres capas y congela durante 3 horas mínimo para que se endurezcan. Retira el papel cuando vayas a servir.

Galletas crujientes

Tiempo de preparación: 20 minutos
• Tiempo de cocción: 5 minutos **• Rinde** 20

**185g de galletas de chocolate • ½ taza de azúcar
• 2 cucharadas de grenetina • ½ taza de agua
• 1 cucharadita de esencia de vainilla • 2-3 gotas de
colorante vegetal verde • Pelotitas doradas, para decorar**

1 Forra dos charolas para horno con papel aluminio. Coloca las galletas en las charolas.

2 En una sartén mezcla el azúcar, la grenetina y el agua. Revuelve a fuego medio hasta que el azúcar se disuelva y la mezcla suelte el hervor. Reduce a fuego lento y hierve, sin revolver, durante 4 minutos. Retira del fuego y deja enfriar. Con una batidora eléctrica bate la mezcla de 5 a 6 minutos, hasta que esté espesa, brillante y haya doblado su tamaño.

3 Agrega la esencia y el colorante; sigue batiendo hasta que los ingredientes queden bien incorporados. Unta una pequeña cantidad en cada galleta, alisa la superficie y decora con las pelotitas.

Dedos sangrantes

Tiempo de preparación: 20 minutos
• Tiempo de cocción: 1 hora **• Rinde** 20

**2 claras de huevo • ½ taza de azúcar • 1 taza de coco
deshidratado • ½ taza de mermelada de fresa o
frambuesa • 10 jelly beans de colores**

1 Precalienta el horno a 150°C (bajo). Con papel encerado forra una charola para horno, engrasa el papel y cubre con maicena.

2 Bate las claras hasta que formen picos suaves. Añade el azúcar, una cucharada a la vez, y continúa batiendo hasta que la mezcla esté espesa y brillosa. Agrega el coco. Coloca la mezcla del merengue en una duya con punta plana de 2 cm. Traza líneas de 8 cm de largo en la charola.

3 Hornea durante 5 minutos, baja la intensidad a 120°C (muy bajo) y hornea de 45 a 50 minutos más o hasta que los merengues estén ligeros y crujientes. Apaga el horno y deja que se enfríen.

4 En una sartén a fuego lento calienta la mermelada hasta que esté ligera. Vierte a un tazón. Corta un extremo de cada jelly bean y deséchalo, corta el resto en mitades a lo largo. Presiona un jelly bean en el extremo de cada merengue. Para servir sumerge la punta de cada dedo en la mermelada caliente.

Tinas de sangre

Tiempo de preparación: 20 minutos
• Tiempo de cocción: 15 minutos **• Rinde** 12

**300g de zarzamoras, congeladas • 3 láminas de pasta
hojaldrada • ¼ taza de azúcar glas, cernida**

1 En un tazón mediano coloca las zarzamoras, deja reposar de 10 a 15 minutos o hasta que se descongelen un poco. Refrigera. Precalienta el horno a 180°C (moderado). Con mantequilla derretida o aceite barniza una charola de 12 moldes para muffin de ⅓ de taza de capacidad. Corta las láminas de pasta hojaldrada en 4 cuadrados iguales y forra cada molde para muffin.

2 Hornea durante 15 minutos o hasta que estén doradas. Coloca en una rejilla para que se enfríen y que la pasta se asiente. Usa el dorso de una cuchara para presionar ligeramente el centro y formar una taza.

3 En un procesador de alimentos mezcla las zarzamoras y el azúcar, procesa hasta que estén suaves. Coloca la mezcla de las zarzamoras en las tinas de pasta antes de servir.

Caras de payaso

Tiempo de preparación: 20 minutos
• Tiempo de cocción: - **• Rinde** 10

**1 litro de helado de vainilla • 10 conos cuadrados para
helado • ½ taza de coco deshidratado • 20 lunetas
• 10 cerezas caramelizadas • 1 tira de regaliz, picada
• 5 gomitas pequeñas de víbora verdes y rojas**

1 Coloca bolas de helado en los conos, presiona firmemente. Espolvorea el coco en la parte superior de las bolas para hacer el pelo. Utiliza las lunetas y el regaliz para los ojos. Usa una luneta o una cereza para la nariz. Corta las gomitas en trozos pequeños para hacer la boca.

Crujiente de cereza

Tiempo de preparación: 15 minutos
• Tiempo de cocción: 5 minutos **• Rinde** 20

30g de mantequilla • 2 cucharadas de miel • 2 cucharadas de azúcar mascabado fina • 2 tazas de hojuelas de maíz • ½ taza de cerezas caramelizadas, picadas (100g)

1 Forra 20 moldes para muffin con capacillos.
2 En una sartén pequeña coloca la mantequilla, la miel y el azúcar. Calienta un poco hasta que esté espumosa. En un tazón grande mezcla las hojuelas y las cerezas, incorpora la mezcla de la mantequilla y revuelve bien.
3 Coloca en los moldes. Refrigera hasta que estén firmes.

Bolas de palomitas con caramelo

Tiempo de preparación: 20 minutos
• Tiempo de cocción: 10 minutos **• Rinde** 50 bolas

2 cucharadas de aceite • ½ taza de maíz para palomitas • ¾ taza de azúcar • 80g de mantequilla • 2 cucharadas de miel • 2 cucharadas de crema ligera

1 En una sartén grande a fuego medio calienta el aceite. Añade el maíz y tapa bien. Cuece durante 5 minutos o hasta que las palomitas dejen de reventar, agita ocasionalmente. Pásalas a un tazón grande y reserva.
2 En una sartén pequeña de base gruesa coloca el azúcar, la mantequilla, la miel y la crema. Revuelve a fuego medio sin que hierva, hasta que el azúcar se disuelva por completo. Con una brocha mojada raspa el azúcar de las paredes de la sartén. Deja que suelte el hervor, re-duce a fuego lento y hierve, sin revolver, durante 5 minutos.
3 Vierte el jarabe de azúcar sobre las palomitas. Con dos cucharas de metal revuelve bien. Una vez que estén tibias, con las manos engrasadas forma pequeñas bolas de palomitas. Colócalas en una rejilla para que se endurezcan. Puedes guardarlas en un recipiente hermético hasta una semana en un lugar fresco y seco.

Bombones Frankfurt

Tiempo de preparación: 20 minutos
• Tiempo de cocción: 15 minutos **• Rinde** 12

12 salchichas Frankfurt pequeñas • 3 láminas de pasta hojaldrada • 1 huevo, ligeramente batido • Cordón de algodón o de yute

1 Precalienta el horno a 180°C (moderado). Forra dos charolas para hornear de 32 x 28 cm, barniza con mantequilla derretida o aceite.
2 Perfora ligeramente las salchichas con un tenedor. Corta cada lámina de pasta hojaldrada en 4 cuadrados y barnízalos con el huevo. Coloca una salchicha en cada cuadro y enrolla, oprime un poco las orillas.
3 Presiona los extremos de la pasta y amarra holgadamente los cordones. Con tijeras corta un poco los extremos de la pasta.
4 Coloca las salchichas forradas en las charolas, barniza con el huevo. Hornea durante 15 minutos o hasta que estén doradas.

Izquierda a derecha: Galletas crujientes, Dedos sangrantes, Tinas de sangre, Caras de payaso, Crujiente de cereza, Bolas de palomitas con caramelo, Bombones Frankfurt

Toffees pequeños

Tiempo de preparación: 10 minutos • **Tiempo de cocción:** 25 minutos • **Rinde** aproximadamente 24

4 tazas de azúcar • 1 taza de agua • 1 cucharada de vinagre • Chochitos o coco deshidratado

1 Coloca capacillos en dos charolas de 12 moldes para muffin.
2 En una sartén grande de base gruesa mezcla el azúcar, el agua y el vinagre. Revuelve a fuego medio hasta que el azúcar se disuelva por completo, sin que hierva. Con una brocha mojada raspa el azúcar de las paredes de la sartén. Deja que suelte el hervor, reduce el fuego un poco. Hierve sin revolver durante 20 minutos; O BIEN, hierve hasta que al dejar caer una cucharadita de la mezcla en agua fría llegue al punto de bola dura; O BIEN, si usas un termómetro para caramelo hierve hasta que alcance una temperatura de 138°C. Retira inmediatamente del fuego.
3 Coloca en los capacillos y decora con los chochitos o el coco. Deja que cuajen a temperatura ambiente.

Bichitos

Tiempo de preparación: 20 minutos • **Tiempo de cocción:** 15 minutos • **Rinde** 12

12 salchichas Frankfurt pequeñas • 3 rebanadas de pan blanco, sin costras • ¼ taza de mantequilla, derretida • 2 cucharadas de semillas de amapola

1 Precalienta el horno a 180°C (moderado). Con un tenedor perfora ligeramente los lados de las salchichas. Corta cada rebanada de pan en cuatro. Coloca una salchicha a través de cada pieza. Levanta las orillas y asegúralas con un palillo. Barniza con mantequilla y espolvorea las semillas de amapola.

2 Coloca en una charola para horno; hornea de 10 a 15 minutos, hasta que el pan esté crujiente y dorado. Retira del horno y sirve de inmediato. Retira los palillos antes de servirlas a niños pequeños.

Arañitas

Tiempo de preparación: 40 minutos • **Tiempo de cocción:** 15 minutos • **Rinde** 24

340g de mezcla para preparar pastel de chocolate • 100g de chocolate oscuro • 30g de mantequilla • 4 tiras de regaliz • 24 lunetas rojas • Chocolate rallado

1 Precalienta el horno a la temperatura indicada en el paquete del pastel. Engrasa 24 moldes para muffin. Haz la mezcla siguiendo las instrucciones del paquete. Rellena cada molde hasta dos tercios de capacidad. Hornea de 10 a 15 minutos o hasta que estén cocidos. Enfría sobre una rejilla y coloca una charola para horno limpia debajo de la rejilla.
2 En un tazón resistente al fuego mezcla el chocolate y la mantequilla, colócalo a baño maría a fuego lento hasta que se derritan y la mezcla esté suave. Retira del fuego y revuelve bien.
3 Cubre los pasteles con el chocolate, asegúrate de cubrirlos uniformemente. Si es necesario puedes recalentar el chocolate que escurre sobre la charola para cubrir los pasteles. Deja que el chocolate se endurezca.
4 Corta el regaliz en tiras de 3 cm de largo. Coloca ocho tiras en cada pastel para hacer las patas. Corta las lune-

De izquierda a derecha: Toffees pequeños, Bichitos, Arañitas, Salchichas, Dip de cebolla, Paquetes de queso

tas a la mitad para los ojos. Espolvorea chocolate rallado encima para el cuerpo.

Salchichas

Tiempo de preparación: 50 minutos
• **Tiempo de cocción:** 20 minutos • **Rinde** 10

1 ½ kg de salchichas gruesas • 6 cebollas, finamente rebanadas • 2 cucharaditas de aceite • 60g de mantequilla, derretida • 10 panes largos, con mantequilla untada • Queso, rallado • Lechuga, rebanada; jitomate, rebanado; zanahoria, rallada; para servir • Ensalada de col, para servir

1 En una cacerola grande pon agua a hervir. Añade las salchichas, reduce el fuego y cuece durante 5 minutos. Cuela y deja enfriar. Perfora las salchichas con un tenedor o cuchillo.

2 En una sartén grande calienta el aceite y la mantequilla, fríe la cebolla hasta que esté transparente. Coloca las cebollas en un lado de la sartén, agrega las salchichas y fríelas de 10 a 15 minutos o hasta que estén doradas y las cebollas estén suaves. (Si lo haces en la parrilla, usa la plancha en la parte caliente).

3 Corta el pan por la mitad, sírvelo con las cebollas, las salchichas, el queso y la ensalada en un platón grande. Acompaña con ensalada de col en un tazón aparte.

Dip de cebolla

Tiempo de preparación: 15 minutos
• **Tiempo de cocción:** - • **Rinde** 6-8

45g de sopa de cebolla de paquete • 2 cucharadas de jugo de limón • ¾ taza de queso crema, suavizado • 1 taza de yogur natural • ¼ taza de perejil fresco, picado

1 Mezcla la sopa y el jugo de limón en un tazón grande, deja reposar durante 30 minutos. Añade el queso, el yogur y el perejil, mezcla bien. Tapa y refrigera hasta usarlo.

2 Sírvelo con galletas, palitos de pan o de verduras.

Paquetes de queso

Tiempo de preparación: 15 minutos
• **Tiempo de cocción:** - • **Rinde** 12

6 rebanadas de pan integral • 6 palitos de queso • 6 rebanadas de mortadela • 12 cebollines

1 Quita la costra del pan y aplánalo con un rodillo. Coloca una rebanada de mortadela y un palito de queso en cada pan, enróllalo firmemente.

2 Amarra un cebollín alrededor de los extremos de los rollos, a 3 cm de las orillas aproximadamente. Corta los rollos por la mitad para que el cebollín esté en el centro de cada paquete.

Montículos

Tiempo de preparación: 20 minutos
• **Tiempo de cocción:** 12 minutos • **Rinde** 60

50g de coco deshidratado • 410g de leche condensada • 2 cucharaditas de esencia de vainilla • Cerezas caramelizadas • Grajeas de colores y de chocolate, para decorar

1 Precalienta el horno a 180°c (moderado), engrasa dos charolas para hornear. Mezcla el coco, la leche y la vainilla en un tazón grande, revuelve bien. Coloca dos cucharadas copeteadas de la mezcla en las charolas, deja espacio para que se esponjen.

2 Decora con las cerezas y las grajeas. Hornea de 10 a 12 minutos o hasta que estén ligeramente dorados. Retira inmediatamente de las charolas y deja enfriar.

Arañas choco-cereza

Tiempo de preparación: 20 minutos • **Tiempo de cocción:** 5 minutos • **Rinde** 20

100g de cerezas caramelizadas • ⅓ taza de almendras tostadas, fileteadas • 100g de fideos de huevo, fritos • 200g de chocolate oscuro, picado • 30g de mantequilla • Azúcar glas, para espolvorear

1 Forra una charola con papel encerado. En un recipiente mezcla las cerezas, las almendras y los fideos.

2 En un tazón resistente al fuego pon el chocolate y la mantequilla, coloca en baño maría a fuego lento hasta que el chocolate se derrita y la mezcla esté suave. Retira del fuego. Añade el chocolate a la mezcla de las cerezas, revuelve bien.

3 Coloca cucharadas copeteadas en la charola. Deja que se endurezcan. Espolvorea el azúcar glas.

Rollos de jamón y queso

Tiempo de preparación: 10 minutos
• **Tiempo de cocción:** 15 minutos • **Rinde** 12

340g de mezcla para preparar scones • 2 cucharadas de salsa de tomate • 1 taza de queso *cheddar*, rallado • ½ taza de jamón, finamente picado • 1-2 cucharadas de leche, para glasear

1 Precalienta el horno a 210°C (moderadamente caliente). Prepara los scones siguiendo las instrucciones del paquete. Extiende la masa hasta formar un rectángulo de 30 x 20 cm. Unta la salsa de tomate, agrega el queso y el jamón. Enrolla la masa.

2 Corta la masa en rebanadas de 2 cm de grosor. Barniza cada rebanada con un poco de leche y coloca en la charola. Hornea durante 15 minutos o hasta que los rollos estén dorados. Sírvelos calientes.

Conos de choco-menta

Tiempo de preparación: 20 minutos
• **Tiempo de cocción:** 20 minutos • **Rinde** 24

340g de mezcla para preparar pastel de chocolate • 24 conos cuadrados para helado • 24 chocolates con menta • 24 lunetas

1 Precalienta el horno a 180°c (moderado), forra dos charolas para hornear con papel encerado. Prepara el pastel siguiendo las instrucciones del paquete.

2 Coloca 1 ½ cucharadas de la mezcla en cada cono. Acomoda los conos en las charolas. Hornea durante 20 minutos o hasta que los pasteles estén firmes al presionarlos con el dorso de una cuchara. Retira del horno y deja enfriar.

3 Una vez fríos coloca un chocolate de menta sobre cada pastel. Mete los conos al horno caliente durante 1 o 2 minutos para derretir un poco. Decora con una luneta y sirve.

Pasteles de ositos

Tiempo de preparación: 20 minutos •
Tiempo de cocción: 15 minutos • **Rinde** 12

**340g de mezcla para pastel de mantequilla • 100g
de gotas o chispas de chocolate oscuro • 1 taza
de crema de avellana • 250g de galletas pequeñas de
ositos, sabor miel • 2 cucharadas de chochitos**

1 Precalienta el horno a 180°C (moderado). Barniza con
aceite la base y los lados de 12 moldes para muffin. Prepara el pastel siguiendo las instrucciones del paquete,
añade las gotas de chocolate.
2 Coloca la mezcla en los moldes, hornea durante 15 minutos o hasta que estén firmes y dorados. Deja reposar
en el molde durante 5 minutos. Desmolda y deja enfriar sobre una rejilla.
3 Unta cada pastel con la crema de avellana. Decora con
4-5 galletas de ositos alrededor del pastel. Espolvorea
los chochitos.

Panes de plátano

Tiempo de preparación: 20 minutos •
Tiempo de cocción: 15 minutos • **Rinde** 12

**½ taza de azúcar moscabado fina • 90g de mantequilla
• 2 cucharadas de pasitas • 2 ½ tazas de harina
• 2 cucharaditas de polvo para hornear • 2 plátanos
maduros, machacados • ½ taza de leche • 30g de
mantequilla, extra, derretida • 2 cucharadas de azúcar
moscabado, extra**

1 Precalienta el horno a 180°C (moderado). En una sartén pequeña mezcla el azúcar y 30g de mantequilla,
revuelve a fuego medio hasta que el azúcar se derrita.
Añade las pasitas. Coloca la mezcla en 12 moldes para muffin. En un tazón cierne la harina y el polvo para
hornear. Agrega el resto de la mantequilla y frota con
los dedos hasta que la mezcla parezca migajas gruesas.
Haz un pozo, añade los plátanos con la leche. Incorpora con una espátula hasta obtener una masa suave.
2 Sobre una superficie enharinada amasa un poco la masa
hasta que esté suave. Extiende un rectángulo de 20 x
15 cm. Barniza con la mantequilla extra y espolvorea el
azúcar extra. Enrolla a lo largo y corta en 12 partes iguales. Coloca en los moldes, con el corte hacia abajo. Hornea durante 15 minutos. Deja enfriar en una rejilla.

Blanca Navidad

Tiempo de preparación: 20 minutos + 1 hora de
refrigeración • **Tiempo de cocción:** 5 minutos • **Rinde** 24

**100g de cerezas caramelizadas de colores, en mitades •
100g de piña caramelizada, picada • ½ taza de frutos
secos variados • 3 tazas de arroz inflado • 1 taza de
coco deshidratado • 1 taza de leche entera en polvo
• ⅔ de azúcar glas, cernida • 250g de manteca vegetal,
derretida**

1 Con papel aluminio forra una charola de 30 x 20 cm. En
un tazón mezcla las cerezas, la piña, los frutos secos, el
arroz, el coco, la leche en polvo y el azúcar glas; haz un
pozo en el centro, agrega la manteca y mezcla bien.
Presiona la mezcla en la charola, empareja con una cuchara. Refrigera durante 1 hora. Corta en rectángulos
cuando esté firme.

*De izquierda a derecha: Montículos,
Arañas choco-cereza, Rollos de jamón
y queso, Conos de choco-menta, Pasteles de ositos, Panes de plátano, Blanca
Navidad*

Galletas rellenas

Tiempo de preparación: 40 minutos • **Tiempo de cocción:** 10 minutos, por tanda • **Rinde** 35

125g de mantequilla • ⅓ taza de azúcar glas • ¼ taza de jarabe dorado • 1 huevo • 2 ½ tazas de harina • 200g de caramelos, machacados • 1 yema de huevo, ligeramente batida

1 Precalienta el horno a 120°C (moderadamente caliente). Forra dos charolas con papel para hornear. Con una batidora eléctrica bate la mantequilla, el azúcar y el jarabe hasta que la mezcla esté ligera y cremosa. Añade el huevo, sigue batiendo. Cierne la harina y añade a la mezcla, revuelve bien con la ayuda de una espátula. Pásala a una superficie ligeramente enharinada y amasa ligeramente durante 1 minuto. Extiende hasta obtener un grosor de 5 mm.

2 Con cortadores grandes para galleta corta la masa y coloca las figuras en las charolas. Corta otras formas en el centro de las figuras, quita los centros. Barniza con yema de huevo. Hornea durante 5 minutos.

3 Coloca un montoncito de los caramelos en el centro de cada galleta. Hornea durante 5 minutos más o hasta que los dulces se derritan, deja enfriar.

Fudge choco-chip

Tiempo de preparación: 10 minutos + refrigeración durante toda la noche
• Tiempo de cocción: 15 minutos • **Rinde** 24

400g de leche condensada • 90g de mantequilla • 2 cucharadas de cocoa, en polvo, cernida • ⅔ taza de almendras, fileteadas • 1 cucharadita de esencia de vainilla • 1 taza de chispas de chocolate oscuro

1 Forra un molde de 26 x 8 x 4 cm con papel aluminio. En una sartén a fuego lento calienta la leche condensada y la mantequilla. Añade la cocoa y revuelve bien. Mezcla ligeramente con una cuchara de madera durante 10 minutos.

2 Retira del fuego, agrega las almendras y la vainilla. Revuelve durante 2 minutos, añade las chispas. Sigue revolviendo hasta que la mezcla esté espesa y suave. Coloca en el molde. Refrigera durante la noche. Corta en cuadros.

De izquierda a derecha: Galletas rellenas, Fudge choco-chip, Pizza, Hot-dogs, Hot-dogs con frijoles, Botes hot-dog, Rollos de jamón y huevo, Bloques de chocolate, Barras de muesli

Pizza

Tiempo de preparación: 20 minutos
• Tiempo de cocción: 25-30 minutos • **Rinde** 8

½ cucharadita de azúcar • ½ cucharadita de sal • 7g de levadura seca • 1 taza de agua caliente • 2 cucharadas de aceite vegetal • 2 ¾ tazas de harina • ¼ taza de puré de tomate • 2 tazas de queso, rallado • 1 taza de piña de lata, en trozos, colada • ½ taza de jamón, picado • ¼ taza de salami, picado • 1 pimiento, picado • 2 champiñones, rebanados

1 Precalienta el horno a 210°C (moderadamente caliente). Barniza una charola para pizza de 30 cm con mantequilla derretida o aceite. En un tazón pequeño mezcla el azúcar, la sal, la levadura y el agua caliente. Cubre con plástico adherente y deja reposar durante 10 minutos en un lugar tibio.

2 En un tazón grande cierne la harina, haz un pozo en el centro, añade la mezcla de la levadura y revuelve bien. Sobre una superficie ligeramente enharinada amasa durante 5 minutos o hasta que esté suave y elástica. Extiende hasta formar un círculo de 35 cm (la masa debe ser más grande que la charola).

3 Pásala a la charola, dobla las orillas hacia dentro, unta uniformemente el puré de tomate, esparce la mitad del queso, esparce la piña, el jamón, el salami, el pimiento y los champiñones. Esparce encima el resto del queso y hornea de 25 a 30 minutos o hasta que la costra esté crujiente.

Hot-dogs

Tiempo de preparación: 20 minutos
• **Tiempo de cocción:** 10 minutos • **Rinde** 10

10 salchichas Frankfurt • 10 panes grandes para hot-dog • Mostaza y salsa de tomate, para servir

1 En una charola con agua hirviendo a fuego lento cuece las salchichas de 5 a 10 minutos. Corta los panes por la mitad. Saca las salchichas del agua, colócalas en los panes y unta la mostaza y la salsa de tomate.

Hot-dogs con frijoles: Prepara igual y omite la mostaza, sobre la salchicha pon frijoles calientes de lata con salsa de tomate y queso *cheddar* rallado.

Botes hot-dog: Prepara igual y omite la mostaza. Corta 5 rebanadas de queso *cheddar* en mitades diagonalmente, envuelve una salchicha y encaja media brocheta en ambas esquinas. Coloca en el pan.

Rollos de jamón y huevo

Tiempo de preparación: 10 minutos
• **Tiempo de cocción:** 8 minutos • **Rinde** 8

4 bollos tipo *english muffin* • 1 taza de queso, rallado • 50g de mantequilla • 4 huevos, ligeramente batidos • 2 cucharadas de perejil, picado • Pimienta molida • ½ taza de jamón, picado

1 Corta los panes a la mitad, retira un poco del migajón para hacer un hueco, rellena con el queso. En una sartén pequeña derrite la mantequilla, añade los huevos y fríe a fuego lento, revolviendo constantemente, hasta que la mezcla esté ligera y espesa. Coloca en el pan, agrega el jamón y espolvorea con perejil y pimienta. Coloca en la parrilla de 2 a 3 minutos o hasta que estén calientes y ligeramente tostados.

Bloques de chocolate

Tiempo de preparación: 5 minutos + 6 horas para congelar • **Tiempo de cocción:** - • **Rinde** 10

2 maracuyás pequeños, la pulpa • 450g de piña de lata, machacada • ¼ taza de yogur natural • 10 palos para paleta • Jarabe de chocolate, para el topping

1 Mezcla la pulpa de maracuyá y la piña en un tazón pequeño, incorpora el yogur. Coloca la mezcla en hieleras o en tazas forradas con papel encerado. Introduce un palo en cada hueco de la hielera. Congela durante 6 horas.
2 Saca de los moldes y baña con el jarabe justo antes de servir.

Barras de muesli

Tiempo de preparación: 10 minutos
• **Tiempo de cocción:** 25 minutos • **Rinde** 24

1 taza de azúcar • 2 cucharadas de miel • 2 cucharadas de jarabe de glucosa • 50g de mantequilla • ⅓ taza de agua • 400g de muesli, sin tostar

1 Forra la base y los lados de un molde para pastel de 28 x 18 cm con papel aluminio. Engrasa el papel con mantequilla derretida o aceite.
2 En una sartén mediana de base gruesa mezcla el azúcar, la miel, la glucosa, la mantequilla y el agua. Revuelve a fuego medio, sin dejar que hierva, hasta que el azúcar se disuelva por completo. Con una brocha mojada raspa el azúcar de las paredes de la sartén. Deja que suelte el hervor, reduce un poco la intensidad y hierve sin revolver durante 20 minutos. Retira inmediatamente del fuego y reserva.
3 Coloca el muesli en un tazón caliente. Vierte la miel reservada y revuelve bien. Pásalo al molde preparado y empareja la superficie. Marca 24 barras antes de que se enfríe. Deja que se endurezca. Cuando esté frío, corta en barras.

Bebidas de fiesta

Cráter flotante

En una licuadora o procesador de alimentos licúa 250 g de fresas lavadas y sin tallo hasta que estén suaves. Reparte el puré en 8 tarros grandes. Coloca una bola de helado de vainilla en cada tarro y vierte limonada encima, no los llenes en exceso. Sirve de inmediato.

Rinde 8

Jugo muu

En una licuadora coloca 400 g de yogur de fruta, 2 cucharadas de miel, 1 cucharadita de esencia de vainilla, 2 plátanos maduros, pelados, 2 tazas de leche fría y 4 bolas de helado de vainilla. Tapa y licúa a velocidad alta durante 3 minutos. Reparte en 8 vasos y espolvorea un poco de nuez moscada. Sirve de inmediato.

Rinde 8

Poción flotante

En un vaso grande coloca 1 cucharada de cordial de limón y de frambuesa. Vierte limonada y agrega una bola de helado de chocolate. Deja reposar 1 minuto antes de servir.

Rinde 1

Jugo de la selva

En un tazón grande para servir mezcla 850 ml de jugo de piña sin azúcar, 3 tazas de jugo de manzana y 450 g de piña de lata machacada, revuelve un poco. Tapa y refrigera durante 1 hora mínimo. Justo antes de servir añade 750 ml de limonada fría o de ginger ale. Decora con menta y cerezas caramelizadas.

Rinde 8

Nota: Puedes sustituir el jugo de manzana por jugo de naranja y mango.

La diversión da sed, así que ten a la mano muchas bebidas refrescantes

Ponche de frutas

En un tazón grande mezcla 125 g de jugo de naranja de lata, 425 g de coctel de frutas de lata, el jugo de 1 naranja y el jugo de 1 limón. Revuelve para mezclar, tapa y refrigera durante 1 hora mínimo. Añade 750 ml de limonada fría justo antes de servir. Decora con fruta fresca como zarzamoras, moras, manzanas, naranjas, melón y melón verde.

Rinde 10

Crema de piña

En una jarra grande mezcla 450 g de piña de lata machacada sin colar y 1 taza de jugo de piña. Poco a poco añade 200 ml de leche de coco, batiendo constantemente hasta que se incorpore bien. Sirve en vasos altos con mucho hielo. Decora con rebanadas de piña. Sirve de inmediato.

Rinde 2

Jugo de cactus

Pela 1 pepino, quítalo las semillas y rebánalo finamente. Colócalo en una jarra grande con 2 litros de jugo de manzana y 2 cucharadas de miel. Revuelve ligeramente. Tapa y refrigera durante 1 hora por lo menos. Justo antes de servir añade 750 ml de limonada fría y 750 ml de agua mineral. Añade hielo y decora con hojas de menta.

Rinde 8

Brisa fresca: Prepara igual sin el pepino.

Brebaje de bruja

En un vaso grande vierte 100 ml de refresco de cola. Añade una bola de helado de vainilla. Revuelve un poco para que forme espuma (si revuelves rápidamente la mezcla sube y se derrama). Baña con ½ cucharadita de jarabe de fresa. Cuelga 1 o 2 viboritas de goma del vaso.

Rinde 1

Aceite de motor: Prepara igual sin la decoración de las víboras.

Araña de cola: No añadas el jarabe ni las víboras.

De izquierda a derecha: Ponche de frutas, Crema de piña, Jugo de cactus, Brisa fresca, Brebaje de bruja, Aceite de motor, Araña de cola

Sueño de durazno

En una licuadora coloca 425 g de rebanadas de durazno de lata, 500 ml de helado de vainilla, ¼ taza de jugo de naranja, 2-3 gotas de esencia de vainilla y 2 tazas de leche fría. Bate hasta que la mezcla esté suave. Sirve de inmediato en tarros, decora con rebanadas de naranja.
Rinde 4

Cordial de hormigas

En una cacerola grande mezcla 3 tazas de agua y 3 tazas de azúcar, revuelve a fuego medio hasta que el azúcar se disuelva. Deja que suelte el hervor, reduce a fuego lento y hierve durante 10 minutos. Retira del fuego para que se enfríe. Añade la pulpa de 12 maracuyás grandes, cubre y refrigera durante 1 hora mínimo. Justo antes de servir coloca 2 cucharadas de jarabe de maracuyá en un vaso grande, vierte agua fría con hielo. Decora con rebanadas de kiwi.
Rinde10

Ponche de Rodolfo

En una sartén grande mezcla 3 tazas de agua y 3 tazas de azúcar, revuelve a fuego medio hasta que el azúcar se disuelva. Deja que suelte el hervor, reduce a fuego lento y hierve durante 10 minutos. Retira del fuego y deja enfriar. Ya frío mezcla con 850 ml de jugo de piña, 1 taza de jugo de naranja, el jugo de 2 limones grandes, la pulpa de 2 maracuyás, 5 tazas de té negro frío y 500 ml de ginger ale en un tazón grande; agrega hielo. Decora con fruta fresca y ramitas de menta.
Rinde 10

Flotante de chocolate

En una jarra mezcla 4 tazas de leche fría y ¼ taza de jarabe de chocolate, revuelve bien. Tapa y refrigera 1 hora. Justo antes de servir agita la mezcla para que haga espuma. Coloca 1 bola de helado de vainilla en cada vaso y vierte encima la mezcla de chocolate. Sirve de inmediato.
Rinde 4

De izquierda a derecha: Sueño de durazno, Cordial de hormigas, Ponche de Rodolfo, Flotante de chocolate, Malteada de malta, Smoothie de plátano y yogur, Sed de limón, Bebida de mango

Malteada de malta

Licúa 1 taza de leche, 1 cucharada de chocolate en polvo para beber, 1 cucharada de malta y 4 cucharadas de helado de vainilla durante 1 minuto a intensidad alta o hasta que los ingredientes estén bien mezclados. Vierte en vasos y sirve de inmediato.
Rinde 2

Smoothie de plátano y yogur

En una licuadora coloca 1 taza de leche fría, 1 plátano pelado y rebanado, 1 cucharada de miel, 1 huevo, 2 cucharadas de yogur, 2 bolas de helado de vainilla y 2 cubos de hielo. Licúa a intensidad alta durante 2 minutos o hasta que esté suave. Vierte en vasos para servir. Decora con germen de trigo y una rebanada de plátano.
Rinde 2

Sed de limón

En una sartén coloca la cáscara de 4 limones con 1 ½ tazas de azúcar y 2 tazas de agua. Hierve a fuego lento durante 20 minutos. Cuela y reserva hasta que se enfríe. Incorpora 1 taza de jugo de limón y 1 litro de agua y guarda en el congelador. Sirve con hielo machacado y decora con 1 rebanada de limón.
Rinde 8

Bebida de mango

En un procesador de alimentos o licuadora coloca 20 cubitos de hielo, licúa hasta que esté bien picado. Añade 3 tazas de mango fresco en trozos. Licúa hasta incorporar bien. Vierte la mezcla en vasos altos y sirve de inmediato. Decora con 1 rebanada de mango y 1 hoja de piña.
Rinde 2

Recuerdos

Hadas

Las hadas del bosque se van a casa con un poco de magia extra. Esta selección de dulces incluye paletas rosas, gomitas de corazón, varitas de hada (ver receta en página 42) y una bolsa de polvo de estrellas (ver receta página 49)

Espacio exterior

Es el momento de salir volando, así que mándalos a su casa con este plato de cartón decorado a mano, una selección de dulces en forma de ovni y comida energética para el largo camino de regreso a la Tierra.

Dinosaurios

Que el festejado te ayude a hacer estas bolsas para los recuerdos. Corta picos en una bolsa de papel de estraza y pega calcomanías de dinosaurios. Rellénalas con gomitas y chicles en forma de dinosaurios y cualquier cosa que se vea "prehistórica".

Piratas

Un tesoro encontrado para no olvidar la fiesta. Puedes hacer un paquete elaborado, como el que se muestra o una sencilla bolsa. Incluye monedas de chocolate y de chicle y "joyas" en forma de gomitas de colores.

Playa

Un pedacito de sol en cada caja, aunque ya se haya metido. Llena la caja con papaya caramelizada, plátanos deshidratados, gomitas de piña y dulces y paletas con forma de pez.

Nieve

Muy blanco. Haz un cono con una carpeta de papel y rellénalo con dulces que recuerden al invierno —mentas blancas, dulces cubiertos de azúcar glas y de coco.

Zoológico

Calma los ruidos del estómago con una bolsa hecha de yute (si eres hábil para coser) o de papel de estraza (si no eres tan hábil). Rellénala de cosas ricas como comida para animales (ver receta en la página 51) y muchos animales de gomita.

Robots y computadoras

Los botones son el tema de este recuerdo —papas fritas, galletas de choco-chips, cualquier cosa pequeña y redonda—. Guárdalos en copas de plástico forradas con papel celofán azul eléctrico.

Las mil y una noches

Ábrete sésamo. La selección de delicias exóticas de Aladino contiene arena del desierto (ver receta en la página 49), delicias turcas, dulces y galletas "alfombra mágica".

Halloween

Llévatelo a casa y ponlo debajo de tu almohada, si te atreves. Gatos negros, víboras y arañas de gomitas se mezclan en esta bolsa de papel decorada a mano.

Exteriores

Los pequeños pueden llevarse a casa un pedacito del jardín con esta bolsa llena de vida salvaje. La bolsa, decorada a mano con una fila de hormigas, contiene escarabajos de chocolate, viboritas de goma y paletas de moscas e insectos.

Hippies

Que el color café sea el tema de este recuerdo. Incluye caramelos, barras de nueces y semillas y regaliz cubierto de chocolate. (Los niños se divertirán haciendo las bolsas).

Picnic de osos de peluche

Osos, osos por todos lados. Escoge entre la gran variedad de galletas, dulces y gomitas con forma de oso. Acomódalos en una canasta de "picnic" y envuélvela con papel celofán.

Navidad

Esta tradicional selección de dulces incluye galletas de jengibre y Blanca Navidad (ver receta en la página 63), además de caramelos y regaliz. La bolsa de fieltro puede adornar el árbol de Navidad.

Viejo oeste

Cuando el sol se pone lentamente por el oeste llega el momento de mandar a los chicos a sus casas. Esta selección incluye balas, pretzels, ruedas de carreta de galletas y lacitos de colores.

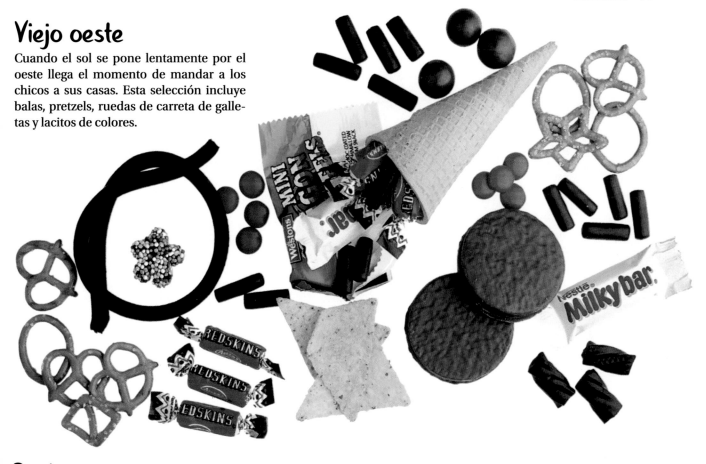

Punk

Los más metaleros disfrutarán de esta "pesada" selección de regalitos —dulces picantes, gomitas agridulces, paletas rellenas de chile— ¡cualquier cosa que termine la fiesta con un "disparo" de sabor!

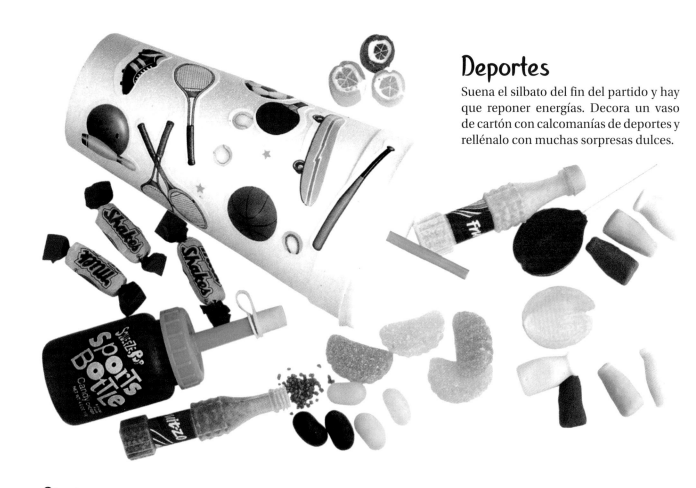

Deportes

Suena el silbato del fin del partido y hay que reponer energías. Decora un vaso de cartón con calcomanías de deportes y rellénalo con muchas sorpresas dulces.

Circo

Esta bolsa llena de colores, comprada en el supermercado, es un vivo recuerdo de toda la diversión de la fiesta. No olvides incluir un poco de palomitas de colores.

Disco

La *Fiebre del sábado por la noche* revive con este cuerno de la abundancia de coloridos dulces. Haz un cono con papel plateado y rellénalo con labios de goma rojos, gomitas de cola y dulces de corazones.

Fiesta de agua

Cuando sea tiempo de salir a la superficie, los niños recordarán esta fiesta con perlas de palomitas (ver receta en la página 53), criaturas marinas de goma y salvavidas dentro de un vaso decorado, simple, pero con divertidas calcomanías.

Juegos para tu fiesta

Juegos con globos

Guerra de globos

Cada niño debe tener un globo con su nombre escrito. Los niños avientan el globo hacia arriba y tratan de evitar que caiga y, al mismo tiempo, tratan de tirar los demás globos. El ganador es el último jugador cuyo globo siga en el aire.

Carrera de globos

Divide a los niños en dos equipos y que se formen en una fila detrás del primero. Asigna un color a cada equipo y en el otro extremo coloca un montón de globos del color de cada uno. Tiene que haber un globo por cada jugador. A tu señal, el primero debe ir brincando hacia el montón de globos, tomar un globo de su color y regresar brincando con su grupo. Cuando el primero regresa, el segundo sale brincando a recoger un globo y regresar brincando, y así sucesivamente hasta que todos los miembros de ambos equipos tengan un globo. Cuando regrese el último miembro, todos los del equipo deben inflar su globo y hacerle un nudo. (Si algún jugador no puede amarrar su globo, un compañero puede ayudarle). Gana el primer equipo que tenga todos los globos inflados y amarrados.

Voleibol de globos

Cuelga una cuerda horizontalmente a lo largo del área de juego, a la altura de la cabeza. Divide a los jugadores en dos equipos y coloca cada equipo a cada lado de la cuerda. Un equipo golpea el globo para pasarlo del otro lado, por encima de la cuerda, y el otro equipo debe devolverlo sin dejar que caiga al piso. Cuando un equipo no puede devolver el globo, el otro equipo obtiene un punto. El primer equipo que llegue a veinte es el ganador. Es un buen juego de interior para niños inquietos cuando no pueden estar afuera por la lluvia. No olvides alejar muebles o cosas que se rompan.

Batea el globo

Divide a los chicos en dos grupos y que se sienten frente a frente con las piernas cruzadas. Sin levantarse deben lanzar un globo al equipo contrario, tratando de que pase por la cabeza del contrario y que caiga al piso detrás de éste. Los equipos ganan un punto cada vez que batean el globo lejos del alcance del contrario.

A todos los niños les encantan los juegos de las fiestas. Te presentamos sugerencias nuevas y algunos de los favoritos.

Barre el globo

Dibuja dos líneas paralelas a 3 metros de distancia, una es la línea de salida. Divide a los chicos en pares, que se pongan detrás de las líneas frente a su pareja. Los niños en la línea de salida tienen una escoba y un globo. Cada niño debe aventar el globo con la escoba hacia su compañero, quien debe regresarlo con la escoba. Si ponchan el globo están descalificados y gana la primera pareja que logre pasar el globo.

Brinca y revienta

Cada jugador se amarra un globo en el tobillo. Los niños deben reventar como puedan el globo de los demás —pisándolo o ponchándolo— e intentar que no revienten el suyo. El jugador es descalificado cuando le revientan su globo.

Globos voladores

Los niños se paran detrás de una línea, cada uno tiene un globo de diferente color marcado con su nombre. Los niños inflan su globo y lo sostienen a la altura del cuello. Cuando des la señal deben aventar su globo, gana el jugador cuyo globo llegue más lejos del punto de salida. Es un juego simple que no exige grandes habilidades y es excelente para niños más pequeños. Quizá tengas que ayudar a algunos a inflar su globo.

¡Vientos!

Dibuja una línea de salida y una meta a 3 metros una de la otra. Los niños se colocan a lo largo de la línea de salida con un globo redondo y un popote. Tienen que ir a gatas soplando con el popote para que el globo no caiga al piso. Gana el primero en cruzar la meta. Nota: también puede hacerse carrera de relevos.

Juegos para buscar y encontrar

Búsqueda del tesoro

A cada jugador (o a cada pareja) se le reparte una lista de objetos que debe reunir en un tiempo determinado. Para los niños que leen bien escribe la lista en una bolsa de papel que puedan usar para guardar los objetos que van encontrando. Puedes hacer una lista sencilla para los pequeños que recién empiezan a leer (o asigna a un niño mayor para que les ayude) o una más complicada para los niños más grandes. Puedes incluir objetos relacionados con el tema de la fiesta, que previamente has "enterrado" en el área del juego, o simplemente objetos que haya en tu casa o jardín en cantidades suficientes. El primero en reunir todos los objetos de la lista es el ganador. Una lista sencilla puede incluir un pedazo de cuerda, una flor, una hoja, una piedra, una pluma, etcétera.

Búsqueda del tesorito

Es una versión pequeña de la búsqueda del tesoro que puede durar toda la fiesta.

Al principio de la fiesta reparte a cada niño una caja de cerillos vacía con su nombre. El objetivo es que cada jugador reúna la mayor cantidad posible de objetos pequeños que quepan en la caja. No vale poner granos de arena o de azúcar. Al final de la fiesta se recogen las cajas de cerillos y se cuentan los objetos. El ganador es el que haya reunido la mayor cantidad de objetos.

Compañeros

Antes de la fiesta escribe una lista de parejas famosas de cuentos —Caperucita Roja y el lobo, Alicia en el País de las Maravillas y el conejo, Cenicienta y el príncipe, etcétera—. Escribe cada nombre en un papel. Cuando comience el juego pega un papel en la espalda de cada niño sin que ellos vean el nombre escrito. Cada uno debe descubrir quién es preguntando a los demás (por ejemplo, "¿Soy un animal?, ¿De qué color soy?") Las respuestas deben ser en forma de clave —"Eres verde"— sin revelar el nombre, hasta que los participantes descubran su propia identidad. Una vez que todos los niños han descubierto sus identidades deben buscar a su pareja, cuyos nombres sí pueden ver. Es una buena forma de hacer parejas para otros juegos.

El cartero

Necesitas diez cajas con una ranura y una etiqueta del nombre de una calle o ciudad relacionado con el tema de la fiesta. Esconde las cajas por toda el área de juegos. Cada jugador recibe diez sobres con el nombre de cada caja. Comenzando desde un punto central, los jugadores toman un sobre a la vez, escriben sus iniciales en la parte posterior, corren a meterlo en la caja adecuada y regresan a tomar otro. Deben hacerlo lo más rápido posible. Cuando hayan terminado abre las cajas y lee los sobres que contienen. El jugador que haya enviado el mayor número de sobres correctamente es el ganador.

Variante: El cartero de vacaciones (para las fiestas en la playa) se juega igual que el anterior sólo que la dirección de las cajas son nombres de playas o islas.

La búsqueda del regalo

Conforme llega cada jugador se le da un papel con una pista para encontrar su regalo. Para evitar errores coloca etiquetas con el nombre de cada niño en los regalos.

En busca del anillo perdido

Los niños forman un círculo y uno se coloca en el centro. Todos sostienen una cuerda circular con un anillo ensartado. El niño del centro se tapa los ojos y cuenta en silencio hasta veinte. Mientras, el resto va pasando el anillo de mano en mano por la cuerda y ocultándolo con las manos. Cuando termina de contar, el niño del centro abre los ojos e intenta adivinar qué jugador tiene el anillo. Si acierta cambia su lugar con él, si no, permanece en el centro.

Sardinas

Excepto uno, todos los niños deben contar al mismo tiempo hasta veinte, mientras que el otro corre a esconderse. Al terminar deben ir a buscar al escondido. El que lo encuentre debe esconderse con él hasta que, eventualmente, todos los niños terminen apretados en el mismo escondite. Cuando el último niño descubre el escondite se juega de nuevo, sólo que el primer niño en encontrarlo es el siguiente escondido.

Sigue el cordón

Usa una bola de estambre o cordón para cada invitado. Amarra un extremo a un regalo pequeño y colócalo a la vista. Desenrolla el cordón para ir dejando un rastro que pase por debajo de mesas, sillas, alrededor de las perillas, bajo los tapetes, etcétera, y que sea complicado dependiendo de la edad de los invitados. Conforme lleguen dale a cada uno su cordón para que vaya enrollándolo hasta llegar a su regalo. (No olvides quitar cosas que puedan romperse durante el juego).

¡Encuentra los dulces!

Antes de la fiesta esconde varios dulces envueltos en papeles de colores, un color para cada montón, en lugares secretos de tu casa o tu jardín. Dile a los niños cuántos montones de dulces hay escondidos. Deben tomar un dulce de cada montón (uno de cada color) antes de poder comérselos. Apunta los escondites por si necesitas dar pistas. Para los niños más pequeños algunos de los montones deben estar parcialmente a la vista y la única regla es que sólo pueden tomar un dulce de cada montón. Este juego puede durar toda la fiesta junto con otro juego como las escondidillas o ser un juego aparte con límite de tiempo.

Policías y ladrones

Divide a los niños en dos equipos, los policías y los ladrones. Los policías se tapan los ojos y cuentan hasta 100 mientras que los ladrones se esconden por todo el lugar. Los policías deben buscarlos y cuando uno encuentra a un ladrón debe llevarlo prisionero a la "cárcel" designada antes de comenzar. El primer ladrón capturado debe agarrarse con una mano a los barrotes de la cárcel —puede ser la pata de una mesa o el respaldo de una silla—. El siguiente capturado debe tomar de la mano al primero, el siguiente al segundo y así sucesivamente para que formen una cadena.

Mientras, los ladrones libres pueden escabullirse a la cárcel y liberar, sin hacer ruido, a sus compañeros. Un ladrón sólo puede liberar a un prisionero a la vez y éste debe ser el último de la cadena. Un ladrón es liberado cuando otro le toca el hombro. Una vez liberado puede correr a esconderse de nuevo. El objetivo del juego es que los policías arresten a todos los ladrones —puede llevar un poco de tiempo.

algo más, como un pompón al sombrero del payaso o una flor en la solapa. Gana el dibujo que tenga más votos por ser el más chistoso o el mejor. Este juego también puede jugarse sin competir y es bueno para relajarlos.

Con los ojos vendados
Juegos recomendados para niños de 4+ años.

Animalia

Seis niños deben tener los ojos cubiertos y los demás son espectadores. Coloca a los seis en una hilera sin usar sus nombres para que no sepan quién está junto a ellos. Uno a uno e identificándolo sólo con tocarle el hombro, dale el nombre de un animal: león, perro, etcétera. Cada uno debe practicar el sonido de su animal, rugiendo, ladrando, etcétera. Después deben romper la fila y dar unas cuantas vueltas hasta que todos queden en otras posiciones. Los seis deben rehacer la fila en el orden original escuchando los ruidos de los demás y acomodándose en la posición que crean correcta. El resto de los niños debe vigilar que el orden sea el mismo. Después, los espectadores deben reemplazar a los seis.

Dibujo ciego

A cada niño con los ojos tapados dale papel, lápiz y algo qué dibujar relacionado al tema de la fiesta. Cuando el jugador crea que ya terminó de dibujar dile que añada

Ponle la cola al burro

En una hoja grande de papel dibuja a un burro sin cola y ponle una cruz grande en el lugar en el que debería estar. Pégalo en la pared a la altura de los ojos de los niños y dale al primero la cola del burro hecha de papel o de cuerda con un marcador en un extremo. Tápale los ojos, que gire tres veces y ponlo de frente al dibujo. Marca con sus iniciales el lugar que eligió para poner la cola y dale el turno al siguiente niño. Gana el que acierte o el que quede más cerca de la marca de la cola.

Versiones: Ponle la cola al dinosaurio, ponle la cola al camello y ponle la cola a la rata se juegan igual que ponle la cola al burro pero, claro, el dibujo es diferente. Puedes dibujar los animales a mano o buscar una ilustración en un libro, agrandarla en una fotocopiadora y calcarla en papel.

Gallinita ciega

Véndale los ojos a un niño y dale tres vueltas. El resto de los jugadores deben moverse alrededor y hacer ruido, mientras el vendado intenta atraparlos. Cuando atrapa a uno debe adivinar de quién se trata. Si acierta, el niño al que atrapó debe tomar su lugar.

¡Llora puerquito!

Los niños se sientan en sillas alrededor de la habitación. Véndale los ojos a un niño, dale varias vueltas y dale un cojín. Los demás niños están sentados en silencio; el vendado debe encontrar a uno y sentarse en sus piernas sobre el cojín y gritar "¡Llora puerquito, llora!". El niño debe hacer un ruido imitando a un cerdo. Si el vendado adivina sobre quién está sentado entonces cambian de lugar. Los niños deben sentarse en lugares distintos antes de comenzar de nuevo.

Ladrones

Véndale los ojos a un niño y dale un periódico enrollado. Los demás niños forman un círculo y el vendado se sienta en el medio, donde hay un tesoro —collares, pulseras, prendedores, etcétera—. Por turnos, los niños intentan robar un objeto del tesoro. Si el vendado escucha a uno acercarse debe golpearlo con el periódico y gritar "¡Ladrón, ladrón!". Si logra tocarlo, el ladrón debe devolver el objeto y volver a su lugar para esperar su turno de nuevo. Gana el ladrón que logra robar más objetos del tesoro.

Adivina qué es

Prepara varios tazones pequeños con distintos tipos de alimentos como cátsup, curry en polvo, chocolate, pimienta o limón. Véndale los ojos a todos los niños y, a uno por uno, llévalos a la mesa. Deben identificar, por medio del olfato o del tacto, de qué alimento se trata. Los niños que ya lo hicieron pueden ver a los demás, pero sin decir las respuestas.

También pueden identificar comida por medio del gusto. Los alimentos deben ser comestibles y un poco "desagradables" como espagueti de lata, crema batida o gomitas con formas raras.

Sugerencias de premios

Hay premios que son excelentes para todas las fiestas, sin importar cuál sea el tema. A todos los niños les encantan las pistolas de agua y no podrán evitar jugar con ellas de inmediato. Considera esto si decides darlas como premio y la fiesta es en un lugar cerrado o si los invitados traen ropa delicada.

Puedes comprar lentes grandes que generalmente venden en paquetes de dos o tres. Las cuerdas para brincar también son una buena idea y puedes usarlas para organizar una carrera.

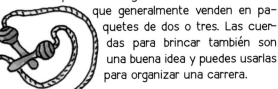

Juegos con música

Equi-libro

Para este juego es necesario poner música tranquila y lenta. Dale un libro a cada niño. Cuando suena la música, los niños deben ponerse el libro en la cabeza y caminar. Cuando se detenga deben hincarse sobre una rodilla. Al que se le caiga el libro es eliminado. La música comienza de nuevo y el juego continúa hasta que quede sólo un niño.

Obstáculos

Junta dos sillas frente a frente para formar obstáculos. Repártelas alrededor del área de juego y que formen un círculo grande. Los niños tienen que formar parejas y cuando la música suene tienen que caminar alrededor del círculo y trepar por los obstáculos conforme los encuentren. Cuando la música se detenga, cualquier pareja que esté tocando un obstáculo es eliminada. Gana la pareja que quede al final.

La papa caliente

Los niños se sientan en círculo. Cuando suena la música deben pasarse la pelota uno a otro. Se detiene la música y es eliminado el niño que tenga la pelota en sus manos. El ganador es el último en ser eliminado.

Salta la escoba

Pon una escoba en el piso. La música suena mientras los niños van saltando la escoba. Cuando la música deja de sonar es eliminado el niño que esté saltando o el último en saltarla. El juego continúa hasta que queda sólo un niño.

¡Pásale!

Dos personas, de preferencia adultos, sostienen los extremos de un palo de 2 metros de largo a la altura del pecho. Es importante que lo sostengan de manera que pueda caerse al tocarlo. Los niños se turnan para pasar por debajo doblando las rodillas e inclinándose hacia atrás para hacerlo. No pueden tocar el piso con las manos. El nivel de dificultad aumenta al bajar el palo un poco más después de cada ronda. Es eliminado quien se caiga o toque el piso con las manos.

Sillas musicales

Acomoda dos hileras de sillas con los respaldos pegados entre sí. Debe haber una silla menos que el número de participantes. Al comienzo de la música, los niños caminan alrededor de las sillas y se sientan cuando la música se detenga. Es eliminada la persona que se quede sin silla. Quita una silla y vuelve a tocar la música. El juego continúa hasta que sólo dos concursantes luchen por una silla.

Apagón musical

Se juega igual que las sillas musicales, pero cuando la música se detiene, también se apagan las luces durante cinco segundos. Cuando las luces se encienden de nuevo se elimina a los jugadores que se hayan quedado sin silla.

Sentones musicales

Los niños bailan al ritmo de la música. Cuando se detiene todos deben sentarse de inmediato. Pierde el último en sentarse y el juego continúa hasta que queda un participante.

Estatuas musicales

Se juega igual que sentones musicales, pero cuando la música se detiene, los niños deben permanecer quietos en la posición en la que estaban, como estatuas. Cualquiera que se mueva es eliminado.

Sombreros musicales

Se juega usando un sombrero para cada jugador excepto uno. Se colocan en círculo, sentados o de pie, viendo hacia la misma dirección. Cuando suena la música, cada jugador toma el sombrero del que está delante de él y se lo pone. Cuando la música se detiene se elimina a la persona que no tenga puesto el sombrero. Quita un sombrero y continúa el juego hasta que quede una persona con un sombrero.

Montaña de juguetes

En el centro de la habitación coloca un montón de juguetes suaves, debe haber un juguete menos que el número de jugadores. Al comienzo de la música, los niños brincan o bailan alrededor del montón. Cuando se detiene deben correr a tomar un juguete y es eliminado el que no alcance ninguno. Quita uno de los juguetes y continúa el juego hasta que quede sólo el ganador.

Nota: Los niños pueden chocar entre sí, así que procura escoger juguetes relativamente grandes.

Islas musicales

Reparte tapetes pequeños, periódicos, pedazos de cartón o similares por la habitación para simular "islas". Los niños caminan en círculo cuando comienza la música; cuando deja de sonar, deben correr y pararse sobre una isla. Puede haber más de una persona por isla. Cualquiera que no esté parado sobre la isla o que caiga al "agua" es eliminado. La música comienza de nuevo y el juego continúa. Durante el juego ve quitando las islas para que sean cada vez más niños los que intenten pararse en menos islas. El último jugador es el ganador.

Alfombra mágica musical

Escoge una parte de la alfombra para que sea el "espacio mágico" pero no lo se lo digas a nadie. Cuando empiece la música los niños bailan en parejas por toda la habitación; cuando se detiene, ellos deben detenerse también. La pareja más cercana al espacio mágico se lleva un premio y el juego continúa hasta haber entregado todos los premios. Otra opción es jugar por puntos. La pareja que quede más cerca del espacio mágico gana un punto y el juego termina con la primera pareja que obtenga los puntos acordados al principio del juego.

Baile del globo

Las parejas se colocan por toda la habitación. Cada jugador tiene un globo que debe sostener entre las rodillas. Al empezar la música, las parejas se toman de la mano y comienzan a caminar por la habitación. Es eliminada la pareja que pierda un globo. Gana el juego la pareja que quede con sus globos entre las rodillas.

Sugerencias de premios

Las pequeñas hadas madrinas se pondrán felices si les das unas varitas hechas a mano. Puedes hacerlas con brillantina sobre cartón, con un popote y listones, y con la ayuda de la festejada.

A los exploradores y entomólogos puedes premiarlos con una red para atrapar mariposas, una lupa, una granja de hormigas o una bolsa para guardar bichos.

Conjuntos musicales

Los niños bailan alrededor de la habitación al ritmo de la música. Cuando la música se detenga, grita un número. Los niños deben correr para formar un conjunto con ese número. Di números con los que quede fuera un niño, por ejemplo "cuatro" para diecisiete participantes y que formen conjuntos de cuatro. Queda eliminado el que no tenga conjunto. Continúa el juego hasta que quede un solo participante.

Antorcha musical

Los niños se sientan en círculo y se apaga la luz. Cuando suena la música, los niños se pasan una antorcha justo debajo de la barbilla para que se ilumine la cara de cada uno. El que tenga la antorcha cuando termina la música debe abandonar el círculo. Las lámparas de plástico son buenas para este juego pues es posible que se caiga. Pon música de "misterio" con este juego para que las caras parezcan más fantasmagóricas.

Pasa el regalo

Prepara el paquete antes de la fiesta. Envuelve un premio en varias hojas de periódico. Para niños pequeños pon un dulce entre cada capa o pon varios dulces al azar. Los niños se sientan en círculo y se pasan el regalo mientras suena la música. Al detener la música, el niño que lo tenga puede quitar una capa. El juego continúa hasta que el ganador quita la última capa y se queda con el premio.

Pasa el regalo misterioso

Prepara el paquete igual que para pasa el regalo, pero escribe un mensaje en cada capa. Por ejemplo, "Dáselo a la niña que tenga los ojos más oscuros" o "Pásalo al niño de tu izquierda". El regalo se pasa cuando suena la música. Cuando se detiene, el niño que lo tenga lee el mensaje y hace lo que éste indica. El que tiene ahora el regalo quita una capa y la música suena de nuevo.

Reflejos

Para este rápido juego necesitas un reproductor portátil de casetes. Uno de los jugadores maneja la música, aunque puedes hacer una ronda de demostración. El operador de la música se coloca dando la espalda a los jugadores, pero donde lo vean bien. Los jugadores se sientan de frente a su espalda. El operador pone la música y los niños deben adivinar cuándo va a quitarla. Los jugadores deben ponerse de pie cuando crean que va a apagar la música. Algunos jugadores se pondrán de pie antes de tiempo o permanecerán sentados cuando la música haya dejado de sonar. El operador debe hacer movimientos exagerados o falsos para engañar a los jugadores. El último en levantarse cuando la música se detie-ne obtiene un punto. Los jugadores que no se levantaron pierden un punto. Gana el primer jugador en acumular cinco puntos y es el operador para la siguiente ronda.

Juegos de memoria

Prueba de memoria

Escoge alrededor de veinte objetos comunes como una cuchara, una llave, un botón, un libro, un dulce, una pluma, un clip, un segurito, etcétera. Colócalos sobre una charola y tápala con un mantel. Dale a cada niño papel y lápiz. Los niños se colocan alrededor de la charola; destápala durante dos minutos, vuelve a taparla y quítala. Los niños deben escribir la mayor cantidad de objetos que recuerden. El jugador que escriba la lista más larga dentro del tiempo establecido es el ganador.

"Cuando fui a Marte..."

Los niños se sientan en círculo. El primero dice "Cuando fui a Marte me llevé..." y dice un objeto. Por ejemplo, "Cuando fui a Marte me llevé un lápiz". El siguiente debe repetir lo mismo y añadir otro objeto, por ejemplo, "Cuando fui a Marte me llevé un lápiz y una manzana". El tercero repite lo anterior y añade un tercer objeto, siempre deben repetir los objetos en orden: "Cuando fui a Marte me llevé un lápiz, una manzana y mi perro", y así sucesivamente. El juego continúa el mayor tiempo posible.
Versiones: En una fiesta con tema de *Las mil y una noches* pueden jugar "Froté la lámpara maravillosa y le pedí al genio..."; sólo se sustituyen las palabras. Este juego es fácil de adaptar a casi todos los temas de fiestas.

Des-orden

Los niños se dividen en dos equipos. Uno sale de la habitación mientras el otro hace el "des-orden" cambiando las cosas de la habitación. Pueden cambiar la posición de un objeto, como voltear un vaso, o cambiar algo de una persona, como ponerle un abrigo al revés. Cuando termina el tiempo límite, el otro equipo regresa y debe identificar los cambios. Cada cambio que no logre encontrar cuenta como un punto para el equipo contrario.

Los equipos cambian de rol y gana el que logre reunir más puntos.

El puerquito del granjero

Es un juego muy divertido para un grupo pequeño o para jugar con un solo niño. Al grupo, o niño, se le hacen preguntas a las que sólo pueden responder con: "El puerquito del granjero". Cualquier niño que se ría o sonría es descalificado. Formula las preguntas de manera que los tomes desprevenidos: "¿A quién viste cuando te asomaste al espejo hoy en la mañana?", "¿Quién es tu mejor amigo?", "¿Quién duerme bajo tu cama?", etcétera.

Canciones revueltas

Para cada niño se necesita una canción infantil revuelta. Saca fotocopias de canciones infantiles, una para cada participante, o usa una canción diferente para cada uno, pero que sean del mismo tamaño o divídelas en el mismo número de líneas. Corta las rimas en líneas, revuelve el orden y colócalas dentro de un sobre. Dale un sobre a cada niño y cuando se lo indiques, cada uno debe ordenar las rimas. El ganador es el primero que ponga su canción en el orden correcto.

¡Error!

Antes de la fiesta escribe un cuento corto que tenga varios errores —por ejemplo, uno de los personajes va a una tienda de antigüedades a comprar un reloj moderno—. Los niños deben notar esos errores conforme escuchan la historia. El niño que note un error debe gritar "¡Error!" y explicar cuál es. Cada acierto es un punto, pero si grita "¡Error!" cuando no lo hay, entonces pierde un punto. El ganador es el que acumule más puntos al final del cuento.

Sugerencias de premios

Para preparar una fiesta hippie puedes ir a una tienda de segunda mano.

A precios muy bajos encontrarás todo lo que necesitas.

Busca collares de cuentas, aretes de flores, discos LP de la época (no importa que no puedan reproducirlos, siempre y cuando la portada sea sicodélica, les gustará por ser una novedad para ellos).

Juegos para interiores

¡A pelar manzanas!

Dale a cada niño una manzana, un cuchillo para fruta y un plato. Las manzanas y los cuchillos deben ser similares en tamaño y calidad. Los niños deben pelar las manzanas y el ganador es el que obtenga la tira de cáscara más larga y más fina.

Hockey

Para este juego necesitas una pelota rellena pequeña, dos sillas y dos periódicos (cada uno enrollado ajustadamente y atado con un cordón para obtener un palo). Los niños se reparten en dos equipos y se colocan en dos hileras, uno frente al otro. Asigna un número a cada miembro de un equipo, de izquierda a derecha, y de derecha a izquierda a cada miembro del otro equipo. La formación de los equipos debe ser la siguiente:

1	2	3	4	5
5	4	3	2	1

Acomoda los palos de periódico y la pelota en el centro. Coloca una silla en el centro de cada pared opuesta de la habitación para que sean las porterías.

El árbitro indica el comienzo del juego llamando a un número. Los dos niños con ese número corren hacia el centro, recogen un palo de periódico y golpean la pelota para intentar meter gol en la portería contraria, es decir, entre las patas de la silla. Cuando anotan gol regresan los palos y la pelota al centro. El árbitro puede hacer que el juego sea muy rápido y darles apenas tiempo para que recobren el aliento. El equipo que haya anotado más goles en el tiempo establecido es el ganador.

Dígalo con mímica

Divide a los niños en equipos. Dale papel y lápiz a cada equipo para que escriba palabras, frases o títulos de libros, de películas o de programas de televisión para que el otro equipo los interprete. Los papeles se meten en una bolsa distinta para cada equipo. Un integrante saca un papel de la bolsa de los contrarios y actúa lo que está escrito para que su equipo lo adivine. Pueden ponerse de acuerdo en gestos que signifiquen conceptos como "suena a" o "dividir en sílabas" y la única regla obligatoria es que el actor no puede hablar. Muchas palabras tendrán que ser divididas, como "corazonada"; el jugador puede señalar su corazón y después hacer la mímica de que está nadando. Los miembros de su equipo tienen que decir lo que creen que está actuando su compañero hasta acertar antes de que termine el tiempo. Puede haber más de un actor. Cuando los niños son pequeños, muchas veces es mejor que lo hagan entre dos o un niño con un adulto. Organiza el juego sólo por diversión o da premios para el de mejor imaginación, al mejor actor, etcétera.

¡Que no se caiga!

Divide a los niños en equipos y que se sienten formando dos hileras, frente a frente. Los niños colocan las manos detrás de su espalda. Dale al primero una naranja y debe tomarla con los pies. A tu señal pasa la naranja al siguiente niño que debe tomarla con los pies y así sucesivamente hasta terminar la hilera. Si la naranja se cae deben comenzar de nuevo. El primer equipo que logre pasar la naranja hasta el último participante es el ganador.

El juego del chocolate

En el centro de la habitación, en el piso, coloca un sombrero, una bufanda, unos guantes, un cuchillo, un tenedor, un plato y un chocolate en barra. Los niños se sientan en círculo alrededor de los objetos y tiran un dado por turnos: El niño que tire un seis tiene que ponerse el sombrero, los guantes y la bufanda, desenvolver el chocolate y comérselo con los cubiertos antes de que otro jugador tire un seis. El jugador que saca otro seis tiene que correr al centro, quitarle el sombrero, la bufanda y los guantes al primero y seguir comiéndose el chocolate. El primer jugador regresa a su lugar. El juego continúa hasta que se termina el chocolate.

Competencia de pesca

Recorta peces de cartones de colores. Pega un segurito en la boca de cada pez. En la parte posterior de cada uno escribe cuánto pesa y acomódalos con el número hacia abajo en un platón extendido, que simula el estanque. Ata un imán pequeño a un extremo de un lápiz con un pedazo de algodón y dale su "caña" a cada niño. Los concursantes deben pescar el mayor número de peces que puedan dentro del tiempo límite. Cuando hayan pescado todos los peces, cada uno suma el total de los peces que pescó.

Peces voladores

Corta figuras de peces de 25 cm de largo de papel o cartulina fina (si la cartulina es pesada, los peces no podrán volar). Dale un pez a cada niño y una revista o periódico doblado. En el extremo opuesto de la habitación acomoda platos formando una línea. Gateando, los niños deben abanicar al pez con la revista para que logre llegar al otro lado de la habitación y aterrizar en un plato. El primero que lo haga es el ganador.

Cajas de cerillos misteriosas

Pon dos o tres cosas muy pequeñas dentro de ocho cajas de cerillos, por ejemplo, chícharos crudos, frijoles, azúcar, plumas, tachuelas, cerillos, arroz o clips. En la pared, a la vista de los niños, pega una lista con el contenido de las cajas. Una a una pasa las cajas, los niños deben agitarlas y escribir lo que creen que contienen. Fíjate en el orden en que pasas las cajas para que sepas qué contienen. Gana el niño que acierte más veces.

Viajeros felices

Toma una sección del periódico —los deportes o la sección de moda, por ejemplo— y desordénala, voltea algunas páginas, dobla otras, etcétera. Los niños se sientan por parejas una frente a la otra. Deben sentarse muy juntos, como si estuvieran en un tren lleno de gente. Reparte un periódico a cada niño y a tu señal deben acomodar las páginas en el orden correcto. El ganador es el primero en lograrlo.

Sombrereros

Es un juego tranquilo para un número reducido de niños, se juega muy bien por parejas. A cada pareja dale un periódico, tres hojas de papel de colores, doce alfileres, pegamento y tijeras. Las parejas tienen quince minutos para confeccionar un sombrero de moda con el material que tienen. El que tenga más votos de los compañeros es el sombrero ganador. Puede jugarse también sólo por diversión y los niños usar su sombrero durante toda la fiesta.

Sombrero y bufanda

A cada equipo dale un sombrero, una bufanda, un abrigo y unos guantes. Los equipos se forman en hileras, uno detrás de otro. Pon la ropa sobre una silla al frente de cada equipo. A tu señal, el primero corre hacia la silla, se pone toda la ropa y da una vuelta alrededor de su equipo, se quita la ropa y se la da al segundo compañero para que se la ponga. El resto debe hacer lo mismo y el último debe colocar la ropa otra vez sobre la silla; gana el primer equipo que lo haga.

Puercoespín

A cada niño dale una papa grande, varios alfileres y un par de guantes. Los niños se ponen los guantes y encajan, uno por uno, los alfileres en la papa. El que logre poner más espinas en el puercoespín en tres minutos es el ganador. Es un juego divertido para fiestas pequeñas.

El pañuelo de la risa

Un niño es el líder. Los demás forman un círculo alrededor de él. El líder tiene un pañuelo y cuando lo suelta, los demás comienzan a reír. Deben empezar a reírse en el instante en que lo suelte y dejar de reírse cuando llegue al piso. Es eliminado el jugador que no se ría durante todo el recorrido del pañuelo, o si sigue riéndose después de que tocó el piso. El líder puede reírse todo lo que quiera. El ganador es el último niño que queda.

Carrera de collares

Divide a los niños en pares y colócalos en hilera en el extremo de la habitación. En el otro extremo coloca un recipiente con doce cuentas para collar. A un niño por pareja dale una aguja y un pedazo grande de hilo grueso. Cuando lo indiques, el niño que tiene la aguja tiene que ensartar el hilo y anudar el extremo. Al mismo tiempo, el compañero corre al recipiente, toma sólo dos cuentas y regresa. Con la aguja preparada toma las cuentas y las ensarta mientras el compañero corre de nuevo a traer dos cuentas más. El juego continúa hasta que todas las cuentas han sido ensartadas. Si se cae alguna cuenta deben recogerla y ensartarla.

Al terminar el collar, el niño quita la aguja y lo amarra alrededor del cuello de su compañero. La primera pareja en hacerlo es la ganadora.

Sin manos

A cada jugador dale una manzana entera en un plato de papel y pídeles que se coloquen en el piso. Los niños se arrodillan ante cada plato con las manos hacia atrás. A tu señal comienzan a comerse las manzanas sin usar las manos. El ganador es el primero que termine de comer su manzana.

Nota: Si puedes limpiarlos después del juego, también pueden comer gelatina, helado o mousse de chocolate sin usar las manos. Se puede jugar con muchos alimentos.

Pasa la caja

Los niños se dividen en dos equipos, se forman en una línea pegados uno al otro. Al primero de cada línea dale una caja de cerillos vacía. A tu señal se coloca la cajita entre la nariz y la boca y se la pasa al segundo compañero sin meter las manos, la cajita debe llegar al final de la línea. Si alguno toca la cajita o se le cae deben volver a empezar. El primer equipo que logre pasar la cajita hasta el final es el ganador.

Juegos con lápiz y papel

Organiza los siguientes juegos cuando los niños necesiten tranquilizarse o comience a llover o cuando quieras descansar un poco.

A formar palabras

Escoge una palabra larga (pero fácil) relacionada al tema de la fiesta. Si el tema es dinosaurios, puedes escoger "brontosaurio"; si es de Halloween, escoge Frankenstein, etcétera. Los niños la escriben en su hoja y tienen diez minutos para escribir todas las palabras que puedan a partir de la palabra que les diste. Puedes añadirle dificultad como: las palabras deben tener cuatro letras o más, no vale añadir una "s" para formar un plural, etcétera.

Oraciones sorpresa

El objetivo es que los equipos escriban una oración gramatical sin planearla o ponerse de acuerdo. Divide a los niños en equipos. Si en un equipo hay siete niños deben escribir una oración de siete palabras. Los equipos se colocan frente a un papel grande y un plumón. A tu señal, el primer integrante de los equipos escribe una palabra en el papel, regresa y le da el plumón a su compañero, quien escribe una palabra antes o después de la primera y regresa a su lugar. El último niño tiene que completar la oración. Si ningún equipo forma una oración, el juego comienza de nuevo.

Nota: También pueden jugar sentados. El primero del equipo escribe una historia corta en la parte superior de una hoja grande, la dobla de manera que sólo se vea la última línea. El siguiente jugador continúa la historia y dobla el papel de la misma manera, y así sucesivamente. El último participante termina la historia. Leer toda la historia en voz alta es muy divertido y puede jugarse sin competir.

Adivina sin ver

Cada niño tiene lápiz y papel. Apaga las luces y pásales diferentes objetos. Deben ser objetos comunes, como una fruta o una mariposa de plástico; con textura, como una piedra pómez o una esponja de baño; de olor fuerte, como un durazno, etcétera. Cuando todos los participantes los hayan tocado, retíralos, enciende las luces y los niños deben escribir qué objetos creen que tocaron. El que acierte al mayor número de objetos es el ganador.

Preguntas

Prepara las preguntas antes de la fiesta. Puedes escoger temas generales o el tema de la fiesta. Haz las preguntas de acuerdo con la edad de los niños, para que vayan aumentando de dificultad. Las respuestas deben ser cortas y directas, que impliquen nombres de personajes, participantes, cantantes o lugares. Para niños más pequeños escribe los nombres de los invitados en un pizarrón y obtén la respuesta del primer niño que levante la mano. Pueden contestar en parejas para ayudarse. Los niños más grandes escriben sus respuestas (para que sea más divertido puedes hacer preguntas de opción múltiple) para que un adulto las revise al final del juego. Puedes premiar a los tres primeros lugares.

Dibuja con puntos

Cada niño tiene un pedazo de papel y un lápiz, debe dibujar seis puntos al azar. Después le pasa la hoja al niño de su izquierda y éste debe conectar los puntos para formar un objeto identificable. Puedes proponer que los objetos se relacionen al tema de la fiesta. Los extraterrestres son fáciles de crear y los animales son una opción divertida.

Categorías

Un pasatiempo para niños más grandes. En una hoja escriben todas las palabras que puedan dentro de la misma categoría en un tiempo determinado. Mientras más complicada sea la categoría, es mejor, por ejemplo, palabras que terminen con "u" o frutas que deben pelarse antes de comerlas. Las categorías pueden relacionarse al tema de la fiesta, como películas sobre vampiros o tipos de computadoras, por ejemplo.

La búsqueda del cacahuate

Los niños salen de la habitación mientras escondes diez cacahuates con cáscara, déjalos parcialmente a la vista. Cuando regresen, dale a cada niño papel y lápiz. Deben buscar en silencio, sin tocar nada y escribir la ubicación de los cacahuates conforme los encuentren. Gana el primero en encontrarlos todos.

Sugerencias de premios

Dar premios iguales es una forma de evitar discusiones pero también se vuelven predecibles. Así que puedes hacer algo diferente. Para una fiesta del oeste, escoge varios tipos de sombreros y pistolas de plástico. Para una fiesta de deportes regala distintos silbatos. Una alternativa menos ruidosa es hacer un trofeo personalizado para cada niño, con copas de plástico y plumones de tinta dorada o plateada.

Canciones de acción

Jugaremos en el bosque

Los niños forman un círculo y se toman de las manos. En el centro se coloca un niño que será el lobo, los demás caminan mientras cantan:

Jugaremos en el bosque
Jugaremos en el bosque
Mientras el lobo no está
Jugaremos en el bosque
Mientras el lobo no está
¿Lobo estás ahí?

Al hacer la pregunta al lobo, se detienen, se sueltan las manos y las ponen en la boca mientras le preguntan.
—¡No, me estoy bañando!
El lobo puede contestar que está haciendo cualquier actividad como "estoy cocinando, estoy viendo la tele, estoy hablando por teléfono", etcétera. Vuelven a tomarse de las manos y a caminar mientras cantan:

Jugaremos en el bosque
Mientras el lobo no está
Jugaremos en el bosque
Mientras el lobo no está
¿Lobo estás ahí?
— ¡¡¡Síííííí!!!

Cuando el lobo contesta "sí", los niños salen huyendo del lobo y él los persigue. El niño al que alcance primero cambia su lugar con el lobo.

Los animales

Mientras cantan formando un círculo, los niños hacen la mímica.

Los pajaritos que vuelan por el aire
Vuelan, vuelan
Vuelan, vuelan, vuelan.
Los caballitos que van por el bosque
Trotan, trotan
Trotan, trotan, trotan.
Los conejitos que van por el campo
Saltan, saltan
Saltan, saltan, saltan.
Los pececitos que van por el agua
Nadan, nadan
Nadan, nadan, nadan.

El patio de mi casa

Los niños forman un círculo y se toman de las manos, mientras caminan en círculo y cantan.

El patio de mi casa es particular
se moja y se seca como los demás.
Agáchense y vuélvanse a agachar
los niños bonitos se saben agachar.

Al decir "agáchense" se agachan y vuelven a ponerse de pie.

Chocolate, molinillo,
chocolate, molinillo,
estirar, estirar que la reina va a pasar.

Juntan las manos y las frotan como si estuvieran batiendo chocolate

Dicen que soy, que soy una cojita
y si lo soy, lo soy de mentiritas,
desde chiquita me quedé,
me quedé, padeciendo de este pie
padeciendo de este pie.

Brincan sobre un solo pie.

El patio de mi casa,
el patio de mi casa es particular,
el patio de mi casa, el patio de mi casa es particular, muy particular.
El patio de mi casa es particular,
se moja y se seca como los demás,
agáchense y vuélvanse a agachar,
los niños bonitos se saben agachar.
Chocolate, molinillo,
chocolate, molinillo,
estirar, estirar que la reina va a pasar.
Dicen que soy, que soy una cojita,
y si lo soy, lo soy de mentiritas,
desde chiquita me quedé,
me quedé padeciendo de este pie,
padeciendo de este pie.
El patio de mi casa,
el patio de mi casa, es particular,
el patio de mi casa, el patio de mi casa es particular, muy particular.

El juego del calentamiento

Los niños forman un círculo, sin tomarse de las manos y bailan mientras cantan.

Éste es el juego
del calentamiento;
hay que aprender
la orden del sargento:
jinetes, a la orden,
un pie.

Llevan un pie hacia adelante y lo agitan.

Éste es el juego
del calentamiento;
hay que aprender
la orden del sargento:
Jinetes, a la orden,
Un pie, el otro.

Agitan el primer pie y después el otro.

Éste es el juego
del calentamiento;
hay que aprender
la orden del sargento:
Jinetes, a la orden,
Un pie, el otro, una mano.

Vuelven a agitar los pies y la primera mano, después agitan la otra y así van repitiendo los movimientos y haciendo la siguiente acción.

Éste es el juego
del calentamiento;
hay que aprender
la orden del sargento:
Jinetes, a la orden,
Un pie, el otro, una mano, la otra.
Éste es el juego
del calentamiento;
hay que aprender
la orden del sargento:
Jinetes, a la orden,
Una mano, la otra, un pie, el otro,
la cabeza.
Éste es el juego
del calentamiento;
hay que aprender
la orden del sargento:
Jinetes, a la orden,
Un pie, el otro, una mano, la otra,
la cabeza, la cadera.
Éste es el juego
del calentamiento;
hay que aprender
la orden del sargento:

Jinetes, a la orden,
Una mano, la otra, un pie, el otro,
la cabeza, la cadera, a sentarse.

A mo a to

Se dividen en dos grupos, se colocan en hilera, uno frente al otro y se toman de las manos. El primer grupo canta la primera estrofa mientras camina hacia delante, el segundo grupo retrocede; el segundo grupo canta la siguiente estrofa mientras camina hacia delante y el primer grupo retrocede.

A mo a to,
matarile-rile-rón. (1)
¿Qué quiere usted?
Matarile-rile-rón. (2)
Yo quiero un paje,
Matarile-rile-rón. (1)
Escoja usted.
Matarile-rile-rón. (2)
Yo escojo a Rosa,
Matarile-rile-rón. (1)
Matarile-rile-rile
Matarile-rile-rón. (1 y 2)

Ambos grupos caminan hacia delante.

¿Qué oficio le pondremos? Matari-
le-rile-rón. (2)
Le pondremos secretaria, Matari-
le-rile-rón. (1)
(Se dicen diferentes oficios)
Ese oficio no le gusta,
Matarile-rile-rón. (2)

Le pondremos reina hermosa,
matarile-rile-rón. (1)
Ese oficio sí le gusta,
matarile-rile-rón (2)

Ambos grupos caminan hacia delante y hacia atrás.

Matarile-rile-rón .
Sigue, sigue matarile.
Le pondremos reina hermosa,
matarile-rile-rón
Ese oficio si le gusta,
matarile-rile-rón
Celebramos todos juntos,
Matarile-rile-rón.
Aquí se acaba este juego
Matarile-rile-rón
Matarile-rile-rile
Matarile-rile-rón. (1 y 2)

Sugerencias de premios

A los niños más grandes y a los adolescentes, los premios pueden parecerles infantiles, así que elige premios adecuados para su edad. Seguramente les llamará la atención ganarse algo para niños "más grandes" como tatuajes en calcomanías. Pero si algunos invitados prefieren no participar, no los obligues, podría arruinarse la fiesta.

Juegos y carreras para exteriores

Pesca de manzanas

Llena una tina grande con agua y algunas manzanas. Los niños se arrodillan frente a la tina y tratan de "pescar" una manzana con la boca. El ganador es el primero en lograrlo. Este juego debe ser supervisado por un adulto.

Carrera de espaldas

Los niños forman parejas, se colocan de espaldas y se enganchan por los codos. Las parejas deben correr, como puedan, hasta el otro extremo, darse la vuelta y volver a la línea de salida. Gana la primera pareja que llegue sin zafarse.

Burbujas

Es una actividad sin competencia para los niños más pequeños. Un frasquito para hacer burbujas de jabón puede mantenerlos distraídos durante un buen tiempo. Se hace más interesante si compiten por ver quién hace la burbuja más grande o cuál tarda más tiempo en reventarse.

Carrera de ladrillos

Los niños se colocan a lo largo de la línea de salida. Dale a cada uno un par de ladrillos. Deben avanzar hacia la meta "caminando" sobre los ladrillos —balancearse so-bre uno mientras recogen el segundo y lo colocan delante y así sucesivamente—. Antes de comenzar decidan si los que se caigan deben empezar de nuevo, ser descalificados o seguir desde donde se cayeron. Gana el primero en cruzar la meta. El juego es difícil, así que es mejor para los niños grandes y fuertes.

Carrera de cocodrilos

Los niños se dividen en dos equipos y se forman en dos filas detrás de la línea de salida. Los niños se ponen en cuclillas, uno detrás del otro, para formar un "cocodrilo". Dando saltos, los cocodrilos compiten por llegar a la meta. Si un niño deja de tocar al de enfrente, el equipo debe detenerse y reacomodarse; la parte trasera del cocodrilo permanece donde está mientras la parte delantera se mueve hacia atrás para unirse, sin levantarse. El primer equipo en llegar a la meta es el ganador.

Carrera de sacos

Dale un saco o una funda grande de almohada a cada niño. Se forman a lo largo de la línea de salida, meten las piernas dentro del saco y lo detienen con las manos. Deben avanzar brincando hasta llegar a la línea de salida. Gana el primero en cruzar la meta.

Donas colgantes

A una cuerda larga átale varios pedazos de cuerda, sujeta una dona al final de los pedazos, una por cada jugador. Ajusta las cuerdas pequeñas para que los niños tengan que pararse de puntitas para alcanzar la dona con la boca. Los niños se colocan debajo de su dona con las manos en la espalda, gana el primero en terminar de comerse su dona.

Pañuelero

Los niños se colocan en un círculo amplio mirando hacia el centro. El pañuelero corre por fuera del círculo con un pañuelo. En cualquier momento tira el pañuelo detrás de un niño, el cual debe recogerlo y salir corriendo a perseguir al pañuelero. Si éste llega primero al lugar vacío, toma el lugar del otro. El niño ahora es el pañuelero y debe tirar el pañuelo detrás de un compañero. Los niños pueden cantar mientras se desarrolla el juego.

Carrera de patos

Es una carrera recta desde la línea de salida hasta la meta, sólo que los niños deben ir en cuclillas y balanceándose

Te copio

Con música de fondo, los niños se forman detrás de un adulto y recorren toda la casa o el jardín copiando todo lo que haga el adulto, (saltar, brincar sobre un pie, correr y hacer movimientos extraños. También gatear debajo de las mesas, brincar bardas, rodear árboles, etcétera.) Mientras más variado sea resulta más divertido.

Relevos de papas

Los niños se dividen en dos equipos, dale a cada uno una cuchara y una canasta. Haz dos hileras de papas enfrente de cada equipo, una por cada niño, colócalas muy separadas. A tu señal, el primer jugador corre a la primera papa, la recoge con la cuchara (no con las manos) y regresa para dejarla en la canasta que está en la línea de salida. Le da la cuchara al siguiente compañero y éste hace el mismo recorrido, y así sucesivamente. El primer

como patos y aleteando —es decir, con los brazos doblados, las manos debajo de las axilas y moviendo los codos—. Los patos que pierdan el equilibrio deben volver a adoptar la posición antes de continuar.

Carrera de cucharas y huevos

Dale a cada niño un huevo cocido y una cuchara. Deben colocar el huevo en la cuchara y evitar que se caiga mientras corren hacia la meta. Si los niños son más grandes ajusta la regla para que recojan el huevo, lo pongan en la cuchara, regresen a la línea de salida y empiecen de nuevo. Una versión del juego es que cada jugador tenga dos cucharas con dos huevos. Puedes usar papas pequeñas en lugar de huevos.

equipo en terminar de transportar las papas es el ganador.

Por arriba, por abajo

Divide a los niños en dos equipos y que formen una línea. Con los brazos levantados tienen que pasarse objetos —como pelotas de diferentes tamaños o muñecos de peluche— por encima de sus cabezas hasta llegar al último de la fila. Cuando el objeto llegue al último, lo pasa por debajo, entre las piernas de los compañeros hasta que llegue al principio. Para que sea más complicado, no esperes a que un objeto regrese al principio antes de mandar el siguiente. El objetivo del juego es que regresen todos los objetos lo más rápido que puedan.

Caballadas

Organiza este juego en un jardín o en un espacio grande con alfombra. Las parejas de niños se turnan para ser el "caballo" y el "jinete". Dos parejas a la vez se encuentran y los jinetes intentan que el otro se caiga de la montura. Si el jinete toca el piso, la pareja es eliminada. Antes de cada enfrentamiento, las parejas deciden si los caballos estarán de pie o en cuatro patas (lo cual es más lento pero la caída es menor). Las parejas eliminadas pueden volver a jugar cambiando los papeles.

Registra los resultados y enfrenta a las parejas ganadoras hasta que quede una vencedora.

Carrera de tortugas

Para esta carrera lenta puedes usar bicicletas o los niños pueden arrastrarse, brincar, saltar sobre un pie o caminar. Pon una línea de salida y una meta, el ganador es el niño más lento. Si van en bicicletas deben estar muy separados entre sí. Cuando digas "¡Fuera!", los niños salen en línea recta y lo más lento que puedan hacia la meta, no pueden detenerse. El ganador es el último en llegar a la meta.

Carrera de osos

Los niños se colocan a gatas en la línea de salida. Coloca un oso de peluche sobre la espalda de cada uno. Tienen que llevar el oso a la meta sin que se caiga. Si se cae, el niño debe recogerlo, regresar a la línea de salida y comenzar de nuevo. El ganador es el primero en llevar a su oso a la meta.

Carrera de tres patas

Divide a los niños en parejas. Con una mascada larga ata la pierna derecha de uno a la pierna izquierda del otro. La pareja debe correr como si fuera una persona con tres piernas y llegar a la meta. Déjalos que practiquen un poco antes de la carrera.

Guerra de jalones

Necesitas una cuerda resistente de por lo menos cuatro metros de largo. Divide a los jugadores en dos equipos. El más robusto de cada equipo será el "ancla" al final de cada extremo. Dibuja una línea en el centro entre ambos equipos. Gana el equipo que logre hacer que el otro rebase la línea.

Carrera de agua

Divide a los niños en dos equipos y que formen dos líneas. Delante de cada equipo pon una cubeta vacía y en el otro extremo, otra cubeta llena de agua. Con una taza grande de plástico, los equipos deben hacer relevos para pasar el agua de la cubeta llena a la vacía. Gana el primer equipo en conseguirlo.

Nota: Para que sea más divertido añade un poco de jabón al agua. Es probable que los niños se mojen durante el juego, así que ten unas toallas preparadas.

Juegos de trucos y sorpresas

¡Viene el Capitán!

Señala un lado de la habitación para que sea babor y otro estribor; también señala muebles para que sean un bote de remos, el ancla, el mástil, el cañón, etcétera. Todos los niños se colocan en el centro de la habitación. Grita la frase clave "Viene el Capitán —¡corran a estribor!" o "Viene el Capitán— ¡laven la cubierta!". El último niño en obedecer la orden es eliminado. Usa otras órdenes como saludar, correr al bote de remos, levar el ancla, etcétera. El ganador es el último marino que quede abordo.

Ranita, ranita

Un niño es la rana y le da la espalda al resto del grupo. Marca dos líneas paralelas con 4 o 5 metros de separación. La rana se coloca detrás de una y el grupo detrás de la otra.

El grupo dice al mismo tiempo, "ranita, ranita, ¿podemos cruzar tu lindo estanque?", la rana responde, "no, a menos que traigas algo de color...¡azul!" o "no, a menos que traigas...¡calcetines verdes!". Al decir la palabra clave, la rana se voltea de frente al grupo y los niños que tengan el color o la ropa mencionados deben cruzar el estanque sin que la rana los atrape. El niño atrapado es la siguiente rana y la anterior regresa al grupo.

Los pasos de la abuela

Un niño es la "abuela". Todos los demás están en línea detrás de ella, a determinada distancia. La abuela les da la espalda, los niños deben arrastrarse hacia ella. Cada vez que la abuela voltea rápidamente, los niños se quedan quietos. Si la abuela ve que alguno se mueve, éste debe regresar a la línea de salida. El primero que llegue toma el lugar de la abuela.

Los pájaros vuelan

Es un juego para niños muy pequeños. Se sientan con ambas manos en el piso. No pueden levantar las manos a menos que el líder (un adulto) mencione algo que vuela. Si el líder dice "las palomas vuelan", los niños levantan las manos; pero si menciona algo que no vuela, como huevos o jirafas, no deben mover las manos.

Los niños que se equivocan son descalificados hasta que queda un ganador.

Simón dice

Los niños se colocan frente a Simón que da instrucciones que comienzan con la frase "Simón dice", "tóquense los pies", por ejemplo. Cuando el líder dice "Simón dice, tóquense los pies", los niños se tocan los pies; pero cuando omite la frase y dice "tóquense la nariz", los niños no deben hacerlo. Sólo deben seguir las instrucciones que comiencen con "Simón dice". Los jugadores que se equivocan son eliminados hasta que queda sólo un ganador.

En la orilla, en el río

Los niños se forman a un lado de una línea marcada. El lado en el que están es la orilla y el otro es el río. Deben brincar al lado correcto cuando se les ordene "en el río" o "en la orilla". Los que se equivoquen están fuera.

¿Qué hora es, señor lobo?

Un niño es el lobo. Al inicio elige un lugar que sea la base. El lobo ronda por la habitación y los niños lo siguen preguntando, "¿Qué hora es, señor Lobo?". El lobo contesta alguna hora —son las seis, son las ocho y media, son

cuarto para las cuatro, etcétera—. Cuando el lobo lo decide, contesta "¡Es hora de comer!" y los niños deben correr hacia la base. Si el lobo atrapa a alguno antes de llegar a la base, la víctima toma el lugar del lobo.

También puede jugarse por eliminación —los niños atrapados se sientan y el último niño en ser atrapado es el lobo en la siguiente ronda.

Conejitos saltarines

Los niños se ponen las manos en la cabeza, simulando orejas y dan saltos por la habitación como si fueran conejos. Cuando escuchen "¡Peligro!" deben quedarse totalmente quietos hasta que cuentes del uno al cinco. Es eliminado el que se mueva aunque sea un poquito.

¡Y explotó el boiler!

Sienta a los niños y cuéntales una historia —mientras menos sentido tenga, mejor—. Explícales que cuando digas la frase "¡Y explotó el boiler!" deben levantarse y correr a un lugar acordado. La historia puede ser corta o larga, pero tiene que estar llena de falsos clímax para que cuando digas "¡Y explotó el boiler!", los niños estén más que preparados para salir corriendo. El ganador es el primer niño en llegar al lugar acordado.

Plantillas

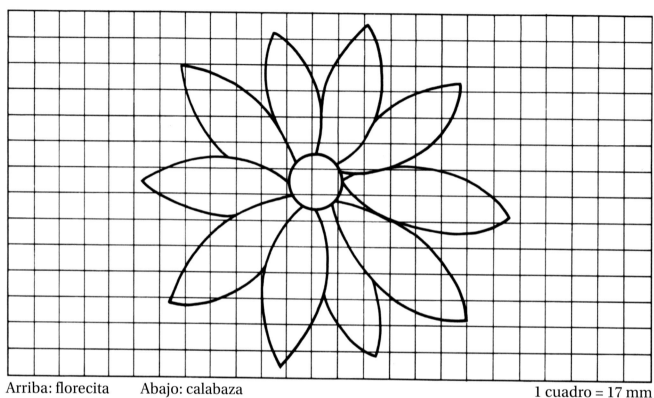

Arriba: florecita   Abajo: calabaza   1 cuadro = 17 mm

Usa los diagramas de este capítulo para hacer las plantillas de la forma de los pasteles relacionados al tema de la fiesta, que están en las páginas 20 a 37. Copia los dibujos en papel milimétrico o agrándalos en una fotocopiadora al tamaño deseado.

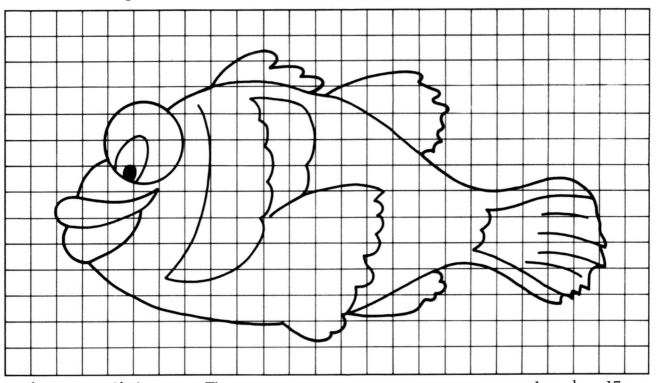

Arriba: pez   Abajo: payaso Tito   1 cuadro = 17 mm

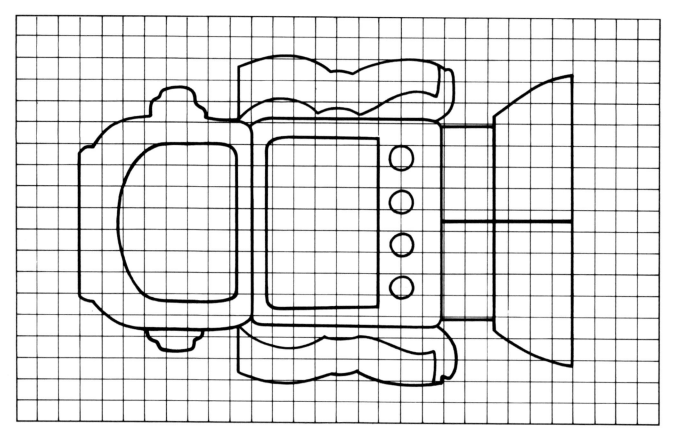

Arriba: Roberto el robot   Abajo: Leoncio el león   1 cuadro = 2 cm

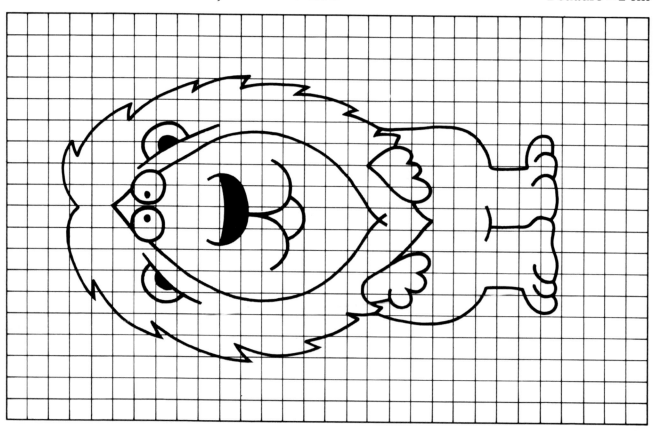

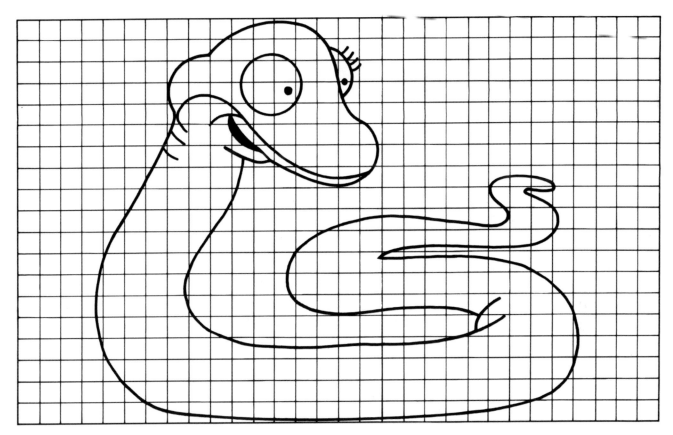

Arriba: viborita   Abajo: oso sabroso   1 cuadro = 2 cm

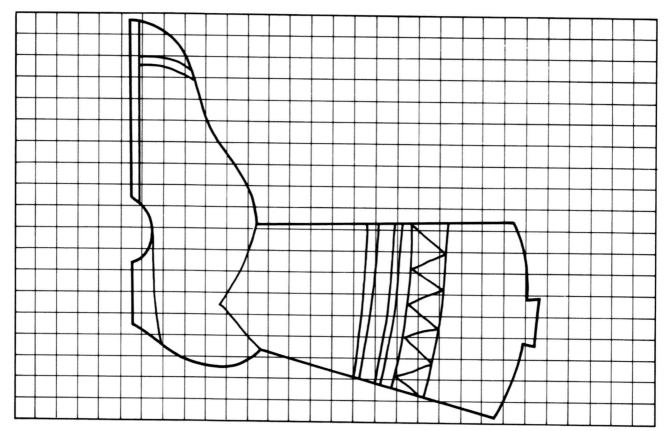

Arriba: bota texana   Abajo: estrellita   1 cuadro = 2 cm

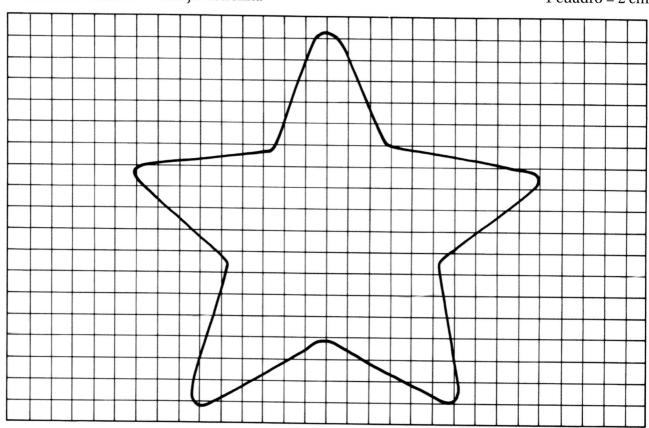

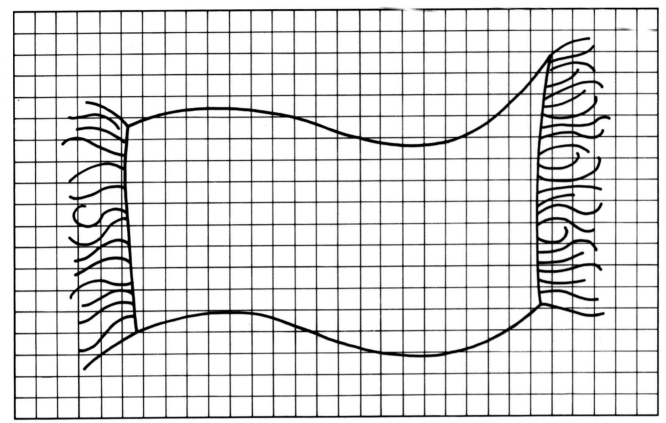

Arriba: alfombra mágica   Abajo: OVNI   1 cuadro = 2 cm

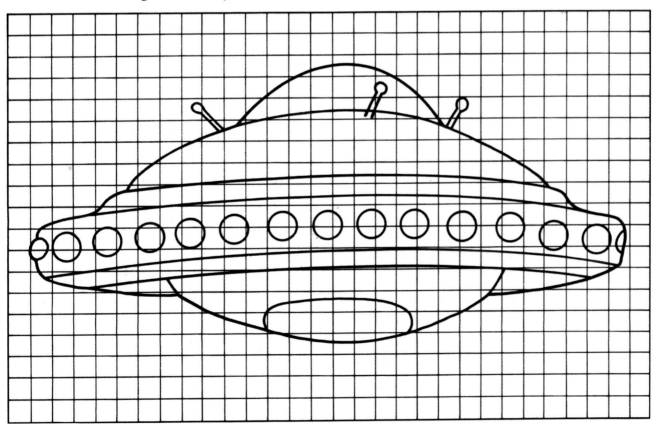

Arriba: Dino el dinosaurio   Abajo: cofre del tesoro   1 cuadro = 2 cm

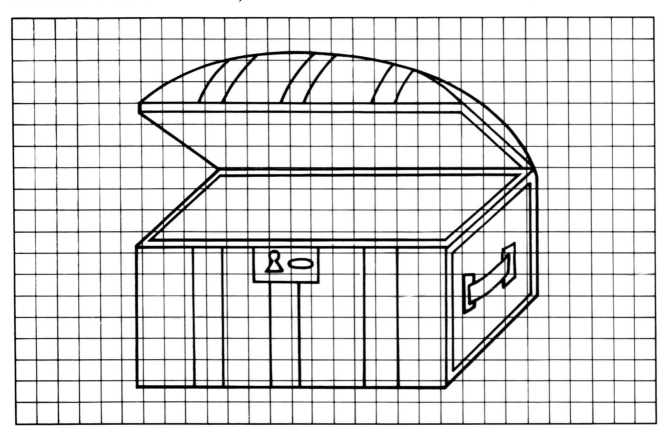

Arriba: solecito   Abajo: Pedro el pingüino   1 cuadro = 2 cm

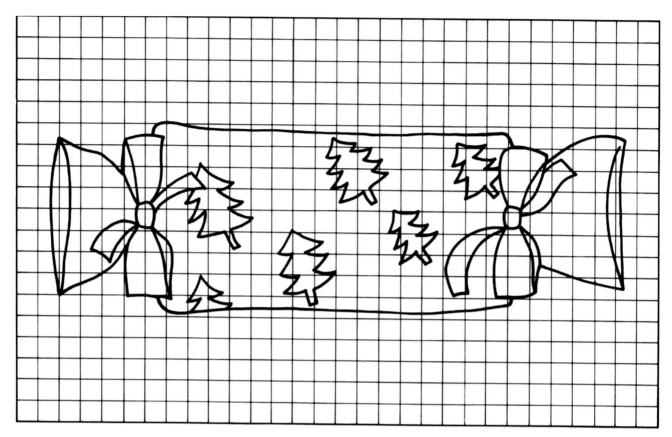

Arriba: dulce de Navidad   Abajo: cabeza punk   1 cuadro = 2 cm

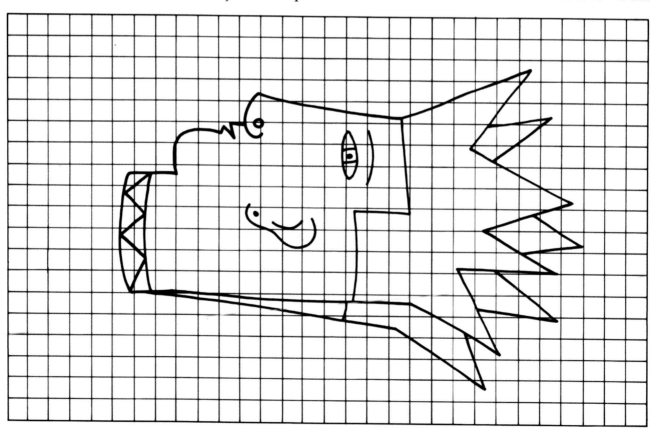

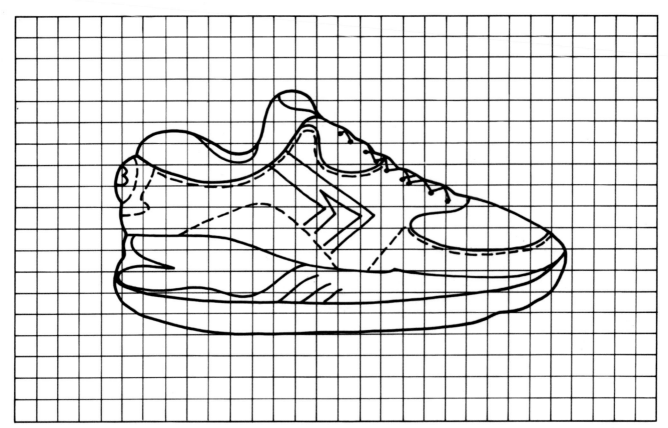

Arriba: tenis   Abajo: bocina   1 cuadro = 2 cm

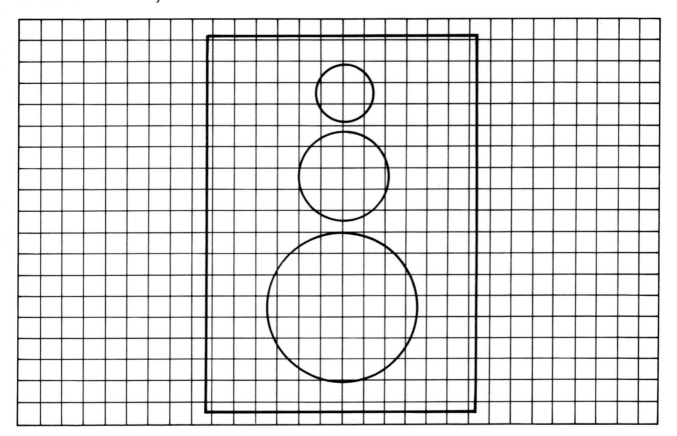

Left margin ruler: 1 cm, 2 cm, 3 cm, 4 cm, 5 cm, 6 cm, 7 cm, 8 cm, 9 cm, 10 cm, 11 cm, 12 cm, 13 cm, 14 cm, 15 cm, 16 cm, 17 cm, 18 cm, 19 cm, 20 cm, 21 cm, 22 cm, 23 cm, 24 cm, 25 cm

Información útil

Todas nuestras recetas son probadas exhaustivamente en nuestra cocina de pruebas. Las tazas y las cucharas medidoras usadas en el desarrollo de nuestras recetas son aprobadas por altos estándares de calidad. Todas las medidas de tazas y cucharas son rasas. En todas las recetas usamos huevos de 60 g. El tamaño de las latas puede variar dependiendo del fabricante y de los países —usa la lata del tamaño que más se aproxime al sugerido en las recetas.

Guía de conversiones

1 taza	= 250 ml (8 fl oz)
1 cucharadita	= 5 ml
1 cucharada	= 20 ml (4 cucharaditas)
1 cucharada (EUA)	= 15 ml (3 cucharaditas)

Nota: Usamos medidas de cucharadas de 20 ml. Si usas una cuchara de 15 ml, en la mayoría de las recetas no se notará la diferencia. Sin embargo, en el caso del polvo para hornear, la grenetina, el bicarbonato de sodio, pequeñas cantidades de harina y maicena, añade una cucharadita extra por cada cucharada especificada.

Medidas secas	Medidas líquidas	Medidas de longitud
30 g = 1 oz	30 ml = 1 fl oz	6 mm = ¼"
250 g = 8 oz	125 ml = 4 fl oz	1 cm = ½"
500 g = 1 lb	250 ml = 8 fl oz	2.5 cm = 1"

Conversiones de tazas

1 taza de harina o harina con polvo para hornear	= 125 g (4 oz)
1 taza de queso *cheddar*, rallado	= 125 g (4 oz)
1 taza de pan molido, comprimido	= 100 g (3 ½ oz)
1 taza de pan molido, fresco	= 80 g (2 ¾ oz)
1 taza de azúcar extrafina	= 250 g (8 oz)
1 taza de cerezas caramelizadas, picadas	= 250 g (7 ½ oz)

Temperaturas del horno

El tiempo de cocción varía algunas veces dependiendo del tipo de horno que utilices. Antes de precalentarlo verifica el control de temperatura en el instructivo del fabricante.

	°C	°F
Muy lento	120	250
Lento	150	300
Tibio	170	325
Moderado	180	350
Moderado caliente	190	375
Moderado caliente	200	400
Caliente	220	425
Muy caliente	230	450

Nota: Para los hornos de ventilación forzada revisa el manual, pero como regla general pon la temperatura 20°C más baja que la indicada en la receta.

Índice

A

A formar palabras 92
A mo a to 95
¡A pelar manzanas! 90
Adivina qué es 85
Adivina sin ver 92
Albóndigas 45
Alfombra mágica
    musical 87
Alfombra mágica 29
Animales crujientes 50
Animalia 84
Antorcha musical 88
Apagón musical 86
Arañas choco-cereza 62
Arañitas 60
Arena del desierto 49

B

Baile del globo 87
Barras de muesli 65
Barras esponjosas 53
Barre el globo 81
Batea el globo 80
Bebida de mango 69
Bichitos 60
Blanca Navidad 63
Bloques de chocolate 65
Bocina 37
Bolas de palomitas
    con caramelo 59
Bombones Frankfurt 59
Bota texana 34
Botes de queso
    con elote 46
Brebaje de bruja 67
Brinca y revienta 81
Brownies congelados 54
Burbujas 96
Búsqueda del tesorito 82
Búsqueda del tesoro 82

C

Caballadas 98
Cabeza punk 35
Cajas de cerillos
    misteriosas 91
Calabaza 28
Canciones de acción 94
Canciones revueltas 89
Caras de payaso 58
Carrera de agua 98
Carrera de cocodrilos 96
Carrera de collares 92
Carrera de cucharas y
    huevos 97
Carrera de espaldas 96
Carrera de globos 80
Carrera de ladrillos 96
Carrera de osos 98
Carrera de patos 97
Carrera de sacos 96
Carrera de tortugas 98
Carrera de tres patas 98
Categorías 93
Cinco: tren 40
Circo 16, 78
Cofre del tesoro 23
Comida para animales 51
Comida y bebida 6

Cómo planear una fiesta 3
Compañeros 82
Competencia de pesca 91
Con los ojos vendados 84
Conejitos saltarines 99
Conjuntos musicales 88
Conos de choco-menta 62
Cordial de hormigas 68
Cráter flotante 66
Crema de mantequilla 18
Crema de piña 67
Crujiente de cereza 59
"Cuando fui a Marte..." 88
Cuatro: muñeca 39
Dedos de plátano,
    nueces y dátiles 49

D

Dedos sangrantes 58
Deportes 16, 78
Des-orden 88
Día de campo de
    osos de peluche 14
Dibuja con puntos 93
Dibujo ciego 84
Dígalo con mímica 90
Dino el dinosaurio 22
Dinosaurios 71, 9
Dip de cebolla 61
Disco 17, 79
Discos galácticos 47
Donas colgantes 96
Dos: víbora 38
Dulce de Navidad 35

E

El cartero 82
El juego del calentamiento
    94
El juego del chocolate 90
El pañuelo de la risa 92
El patio de mi casa 94
El puerquito del
    granjero 89
Elotes con mantequilla 56
En busca del anillo
    perdido 83
En la orilla, en el río 99
¡Encuentra los dulces! 83
Equi-libro 86
¡Error! 89
Espacio exterior 70, 8
Estatuas musicales 87
Estrellita 20
Exteriores 13, 75

F

Fiesta de agua 17, 79
Figuras de fruta 51
Florecita 31
Flotante de chocolate 68
Fudge choco-chip 64

G

Galle-rocas 48
Galletas crujientes 58
Galletas de piratas 46
Galletas marcianas 47
Galletas rellenas 64
Gallinita ciega 84

Garrotes de
    cavernícola 44
Gelatinas playeras 54
Glaseado esponjoso 18
Globos voladores 81
Guacamole con
    totopos 56
Guerra de globos 80
Guerra de jalones 98

H

Hadas 70, 8
Halloween 12, 74
Hamburguesas del
    pescador 52
Hamburguesitas 45
Helada de coco 55
Heno de chocolate 51
Hippies 13, 75
Hockey 90
Hot cakes de miedo 57
Hot-dogs 65
Huevos de dinosaurio 45

I

Información útil 110
Islas musicales 87

J

Jorobas de camello 49
Juegos con globos 80
Juegos con lápiz
    y papel 92
Juegos con música 86
Juegos de memoria 88
Juegos de trucos y
    sorpresas 98
Juegos para buscar y
    encontrar 82
Juegos para interiores 90
Juegos y carreras
    para exteriores 96
Jugaremos en el
    bosque 94
Jugo de cactus 67
Jugo de la selva 66
Jugo muu 66

L

La búsqueda del
    cacahuate 93
La búsqueda
    del regalo 82
La decoración 6
La fecha 5
La papa caliente 86
La planeación 4
Ladrones 85
Las invitaciones 5
Las mil y una noches 12,
    74
Leoncio el león 26
Lodo del pantano 44
Los animales 94
Los juegos 7
Los pájaros vuelan 99
Los pasos de la abuela 99
Los premios y los
    recuerdos 7
¡Llora puerquito! 85

M

Malteada de malta 69
Meteoritos 47
Meteoro-conos
    de helado 48
Mini pizzas 50
Montaña de juguetes 87
Montículos 62
Muñeco de nieve 55

N

Nachos para niños 56
Navidad 14
Navidad 76
Nieve 10, 72
Nuggets de pescado 52
Nuggets de pollo 50

O

Obstáculos 86
Ocho: hada 41
Oraciones sorpresa 92
Oso Sabroso 32
Ovni 21, 48

P

Paletas de vainilla
    con fresa 57
Pan sicodélico
    de hadas 42
Panes de plátano 63
Pañuelero 97
Paquetes de queso 61
Parfait soleado 53
Pasa el regalo
    misterioso 88
Pasa el regalo 88
Pasa la caja 92
¡Pásale! 86
Pastel de mantequilla 18
Pastel de zanahoria 19
Pastel solecito 24
Pasteles de ositos 63
Pastelitos de hadas 42
Payaso Tito 36
Peces voladores 91
Pedro el pingüino 25
Perlas de palomitas 53
Pesca de manzanas 96
Pez 36
Picnic de osos
    de peluche 76
Piratas 71, 9
Pizza 64
Playa 10, 72
Poción flotante 66
Policías y ladrones 83
Ponche de frutas 67
Ponche de Rodolfo 68
Ponle la cola al burro 84
Por arriba, por abajo 97
Preguntas 93
Prueba de memoria 88
Puercoespín 91
Punk 15, 77

Q

¡Qué hora es, señor
    lobo? 99
¡Que no se caiga! 90

R

Ranita, ranita 98
Reflejos 88
Relevos de papas 97
Roberto el robot 27
Robots y computadoras 11
Robots y computadoras 73
Rocas de chocolate 49
Rocky Road 44
Rodajas de papas 56
Rollos de jamón
    y huevo 65
Rollos de jamón
    y queso 62
Rollos de salchicha 46
Ruedas de jamón
    y piña 54

S

Salchichas 61
Salta la escoba 86
Salvavidas 52
Sándwiches cebra 50
Sardinas 83
Sed de limón 69
Seis: patineto 40
Sentones musicales 86
Siete: palmera 41
Sigue el cordón 83
Sillas musicales 86
Simón dice 99
Sin manos 92
Smoothie de plátano
    y yogur 69
Sombrereros 91
Sombrero y bufanda 91
Sombreros musicales 87
Submarinos hundidos 52
Sueño de durazno 68

T

Tartas de queso
    con tocino 43
Te copio 97
Temas y disfraces 6
Tenis 33
Tinas de sangre 58
Toffees pequeños 60
Tostadas de pan
    con pollo 43
Trampas para ratón 57
Tres: mar 39

U

Uno: soldado 38

V

Varitas de hada 42
Viajeros felices 91
Viborita 30
Viejo oeste 15, 77
¡Viene el Capitán! 98
¡Vientos! 81
Voleibol de globos 80

Y

¡Y explotó el boiler! 99

Z

Zoológico 11, 73